S0-BMR-806

Pablo Neruda:
Antología poética, I

Prólogo, selección y notas
de Hernán Loyola

El Libro de Bolsillo
Alianza Editorial
Madrid

Primera edición en «El libro de bolsillo»: 1981
Octava reimpresión en «El libro de bolsillo»: 1999

© Herederos de Pablo Neruda
© Prólogo y selección: Hernán Loyola
© Alianza Editorial, S. A., Madrid, 1981, 1983, 1986, 1991, 1994,
   1996, 1997, 1998, 1999
   Calle Juan Ignacio Luca de Tena, 15; 28027 Madrid; teléfono 91 393 88 88
   ISBN: 84-206-1956-6 (O. C.)
   ISBN: 84-206-1862-4 (Tomo I)
   Depósito legal: M. 22.310-1999
   Compuesto en Fernández Ciudad, S. L.
   Impreso en Closas-Orcoyen, S. L. Polígono Igarsa
   Paracuellos de Jarama (Madrid)
   Printed in Spain

Propongo en estas notas una determinada lectura de la obra poética de Pablo Neruda, según una línea de pertinencia que establezco al comienzo del texto. Aunque enraizada en antiguas convicciones y en una larga frecuentación nerudiana, la propuesta de lectura que aquí esbozo es sustancialmente nueva. Espero que también sea útil y estimulante. Utilizo en el desarrollo del trabajo dos sistemas de abreviaturas: uno para los libros de Neruda y otro para las referencias críticas. La primera lista va a continuación:

| | |
|---|---|
| ANS | *Anillos*. Santiago: Nascimento, 1926. |
| APJ | *Arte de pájaros*. Santiago: edición SAAC, 1966. |
| AUN | *Aún*. Santiago: Nascimento, 1969. |
| BCL | *La barcarola*. Buenos Aires: Losada, 1967. |
| CAR | *Una casa en la arena*. Barcelona: Lumen, 1966. |
| CCM | *Cantos ceremoniales*. Buenos Aires: Losada, 1961. |
| CDG | *Canción de gesta*. La Habana: Imp. Nac. de Cuba, 1960. |
| CEH | *Comiendo en Hungría*. Budapest: Corvina, 1969. |
| CGN | *Canto general*. México: Talleres de «La Nación», 1950. |

CHV     *Confieso que he vivido.* Barcelona: Seix Barral,
        1974.
CLR     *Cartas a Laura.* Madrid: Cultura Hispánica, 1978.
CMR     *Cartas de amor.* Madrid: Rodas, 1974.
COA     *El corazón amarillo.* Buenos Aires: Losada, 1974.
CRP     *Crepusculario.* Santiago: Claridad, 1923.
CSA     *Cien sonetos de amor.* Santiago: Universitaria, 1959.
DFS     *Defectos escogidos.* Buenos Aires: Losada, 1974.
DML     *2000.* Buenos Aires: Losada, 1974.
ELG     *Elegía.* Buenos Aires: Losada, 1974.
ESP     *La espada encendida.* Buenos Aires: Losada, 1970.
ETV     *Estravagario.* Buenos Aires: Losada, 1958.
FDM     *Fin de mundo.* Santiago: Soc. de Arte Contempo-
        ráneo, 1969.
GIF     *Geografía infructuosa.* Buenos Aires: Losada, 1972.
HOE     *El hondero entusiasta. 1923-1924.* Santiago: Letras,
        1933.
HYE     *El habitante y su esperanza.* Santiago: Nascimento,
        1926.
JDI     *Jardín de invierno.* Buenos Aires: Losada, 1974.
JQM     *Fulgor y muerte de Joaquín Murieta.* Santiago: Zig-
        Zag, 1967.
LDP     *Libro de las preguntas.* Buenos Aires: Losada, 1974.
MAD     *Las manos del día.* Buenos Aires: Losada, 1968.
MIN     *Memorial de Isla Negra, I-V.* Buenos Aires: Losada,
        1964.
MRT     *Maremoto.* Santiago: Soc. de Arte Contemporáneo,
        1970.
MYC     *El mar y las campanas.* Buenos Aires: Losada, 1973.
NIX     *Incitación al nixonicidio y alabanza de la revolu-
        ción chilena.* Santiago: Quimantú, 1973.
NOE     *Nuevas odas elementales.* Buenos Aires: Losada,
        1956.
NYR     *Navegaciones y regresos.* Buenos Aires: Losada,
        1959.
OCP     *Obras completas, I-III,* 4.ª edic. Buenos Aires: Lo-
        sada, 1973.
OEL     *Odas elementales.* Buenos Aires: Losada, 1954.
PCH     *Las piedras de Chile.* Buenos Aires: Losada, 1961.
PDC     *Las piedras del cielo.* Buenos Aires: Losada, 1970.
PNN     *Para nacer he nacido.* Barcelona: Seix Barral, 1978.
PPS     *Plenos poderes.* Buenos Aires: Losada, 1962.

RIV    *El río invisible. Poesía y prosa de juventud.* Barce-
       lona: Seix Barral, 1980.
ROS    *La rosa separada.* París: Éditions du Dragon, 1972.
RST    *Residencia en la tierra,* I-II. Madrid: Cruz y Raya,
       1935.
TER    *Tercera residencia.* Buenos Aires: Losada, 1947.
THI    *Tentativa del hombre infinito.* Santiago: Nascimen-
       to, 1926.
TLO    *Tercer libro de las odas.* Buenos Aires: Losada,
       1957.
UVT    *Las uvas y el viento.* Santiago: Nascimento, 1954.
VCP    *Los versos del capitán.* Napoli: L'Arte Tipografica,
       1952.
VJS    *Viajes.* Santiago: Nascimento, 1955.
VPA    *Veinte poemas de amor y una canción desesperada.*
       Santiago: Nascimento, 1924.

La segunda lista de abreviaturas (referencias críticas) va
al final de estas notas.

                                      Hernán LOYOLA
                                      *Università di Sassari*

# I

1915-1924

En el principio el poeta es Neftalí. Utiliza para nombrarse (en cuanto escritor) el tercero de sus nombres, que es también el segundo de su madre muerta (Rosa Neftalí Basoalto). Así, ya en el más antiguo texto de Neruda que se conoce hasta ahora (un saludo rimado para la madrastra Trinidad, fechado el 30-6-1915): «De un paisaje de áureas regiones / yo escogí / para darle querida mamá / esta humilde postal. *Neftalí*. [1]» La firma que —subrayada— sostiene y cierra la rima no deja dudas acerca de la voluntad autoafirmativa de este niño de casi once años. Neftalí Reyes firma también los artículos y poemas publicados en *La Mañana* y en *Corre-Vuela* entre 1917 y 1919 (cfr. Loyola 1968, sección Nerudiana Dispersa). De sus tres nombres, Neftalí es el único que le resulta tolerable para un poeta. De los otros dos, Ricardo será usado (en alternativa o acompañando a Neftalí) para la correspondencia familiar (cfr. CLR *Cartas a Laura*), pero nunca en cuanto escritor. Eliecer parece no haber sido empleado jamás.

---

[1] Documento hasta ahora inédito.

La firma Neftalí Reyes decididamente no satisface las exigencias de individuación (a través de la escritura) que apremian al muchacho. Porque no se trata sólo de una firma: *nombrarse* será para Neruda —como veremos— dar nombre a su obra, a su Texto: vivirá para llenar ese nombre de existencia. El rechazo de los nombres originarios, y más allá de la proclamada necesidad de esconder al padre los pecados de poesía, cifra una poderosa orientación hacia la búsqueda del *nombre* (no del seudónimo) definitivo para sí y para su quehacer: «*Pablo Neruda desde octubre de 1920*» manuscribe y subraya el liceano en uno de sus cuadernos [2], con evidente satisfacción.

Y no sin motivo. Poco importa establecer a través de cuál publicación habrá sabido del checo Jan Neruda: sorprende en cambio el astuto acierto de la elección... o invención. Como apellido en español *Neruda* resulta novedoso, de insólita resonancia, pero al mismo tiempo nada extraño ni a la índole del idioma ni a sus hábitos onomásticos [2 bis]. *Pablo* parece provenir de un cruce entre el francés Paul (¿Fort? ¿Verlaine?) y el italiano Paolo (de la pareja Paolo y Francesca). En la ceremonia de inscripción del autobautismo, el componente Paul es signo de filiación cultural, intelectual, la línea de la mente, mientras el componente Paolo opera como signo de filiación emotiva, pasional, la línea del corazón (en el poema «Ivresse», CRP, se explicitan las dos líneas: el título

---

[2] Se trata del llamado *Cuaderno Neftalí Reyes 1918-1920* (Loyola 1967 y 1968), parcialmente reproducido en RIV.

[2 bis] Ya escritas estas notas, nos llega desde Chile la edición 187 de la revista *Hoy* (18-2-1981), donde Miguel Arteche introduce la posibilidad de que el apellido Neruda haya sido tomado por el estudiante Neftalí Reyes, no directamente de alguna traducción de Jan Neruda, sino de la mención que Sherlock Holmes hace de un tal Norman Neruda, pianista, en el relato *Study in Scarlet,* de Conan Doyle, ya publicado en Chile bajo el título *Un crimen extraño* (Santiago, Lit. Universo, 1908). La observación nos parece bastante atendible, en especial considerando la temprana y nunca desmentida inclinación de Neruda hacia lecturas enigmáticas y policiales (Fantomas, en su infancia; Raymond Chandler y James Hadley Chase, en su madurez).

francés evoca *ivresses* de Paul Fort y Paul Verlaine, el personaje es Paolo)[3].

La invención del nombre Pablo Neruda marca el momento nominador, formalmente inaugural, para un proyecto poético cuya edificación concreta se desplegará en la escritura bajo el signo de la variedad, de un permanente abrir y cerrar etapas, de un frecuente recomenzar desde escombros y liquidaciones, sin otra aparente unidad que la reiterada puesta en juego y verbalización de materiales autobiográficos. Más de una vez sucederá que tras el vendaval de catástrofe y la negación de lo construido sólo resta en pie el nombre del proyecto, invariable desde octubre de 1920: Pablo Neruda. Que las porfiadas tentativas de realización de tal proyecto se inscriben fundamentalmente en la categoría estructurante y retórica del *autorretrato* (y no de la autobiografía —según distingue Beaujour 1977— precisamente porque proyecto *poético),* nadie lo ha subrayado mejor que el propio Neruda al iniciar una conferencia en 1943: «Si ustedes me preguntan qué es mi poesía debo decirles: no sé. Pero si interrogan a mi poesía, ella les dirá quién soy yo.[4]»

Autorretrato en curso: postulemos esta amplia definición de la escritura poética de Neruda (siempre teniendo en cuenta las observaciones de Beaujour, 1977). Autorretrato en despliegue, en proceso permanente de elaboración-liquidación-reelaboración, y sin embargo en ningún momento el trabajo del poeta se desarrolla a partir de una *voluntad* de autorretrato, de un proyecto *previo* en tal sentido. Ninguna tentativa del tipo *Neruda par lui-même* guía el quehacer del poeta, pero no es menos cierto que la estructura y la retórica del autorretrato determinan la modalidad básica y más constante de

---

[3] Ver también «Album Terusa 1923», *Anales de la Universidad de Chile* 157-160 (1971): 45-55, donde el poeta se nombra y firma *Paolo Neruda.*

[4] Cit. en Loyola 1964: 5. Cfr. «La formule de l'autoportrait est: 'Je ne vous raconterai pas ce que j'ai fait, mais je vais vous dire qui je suis'» (Beaujour 1977: 443).

producción textual en Neruda [5]. En otro nivel del análisis esa modalidad manifiesta, como rasgo dominante del sujeto lírico, la búsqueda de la propia identidad y una consiguiente y tenaz tentativa de fijarla en el texto. El examen de la evolución del sistema de autorrepresentación del hablante nerudiano, y en particular de las formas de autorreferencia o autoalusión, permite establecer una fundada periodización de toda la obra del poeta chileno y al mismo tiempo ofrece una importante base para las indagaciones específicas relativas a cada etapa. Proponemos aquí, como clave para leer a Neruda, un ensayo de esquema de esa evolución, de ese infatigable *work in progress*.

Antes del autobautismo el yo lírico nerudiano no consigue verse sino en términos de *tener*. El poema que abre el *Cuaderno* ya mencionado (y que se reproduce en RIV, 15) se titula «Mis ojos», indiciando una experiencia inaugural de desposesión, de vacío, de ausencia de sí mismo. Autoalusiones indirectas, siempre en términos de *tener,* dominan los textos liceanos: «mis manos», «mis gritos», «mis horas», «mi voz», «mi espíritu apagado», «mi vida de estudiante», «estos quince años míos». Los intentos de autorrepresentación global relevan la incapacidad del hablante para proponer una imagen *positiva* de sí: «yo soy un árbol viejo», «chiquillo bueno y resignado», «chiquillo olvidado», «nosotros, nada, nada», nosotros «los buenos» (es decir, los vencidos, en oposición a los duros). El bosque de la infancia ofrece al poeta algún débil asidero de afirmación o esperanza: del «yo soy un árbol viejo» (RIV, 17) se pasa al «álamo» orgulloso y solitario (p. 31 del *Cuaderno)* y más adelante a la voluntad ansiosa de «ser un árbol con alas» (RIV, 50). A comienzos de 1920, una imagen-resumen de la situación del hablante: «soy una *esponja,* nadie me ha estrujado, / y

---

[5] «L'autoportraitiste ne 'se décrit' nullement comme le peintre 'réprésente' le visage et le corps qu'il perçoit dans son miroir: il est forcé à un détour qui peut paraître nier le projet de 'se peindre', pour autant que l'autoportrait naisse jamais d'un tel 'projet'...» (Beaujour 1977: 444).

soy un *vino*, nadie me ha bebido» (RIV, 53). En ambas disponibilidades —pasiva y activa— respecto del mundo, el hablante se describe en un estado actual de inmovilidad e impotencia, se describe precario y por lo mismo necesitado de estímulos y de respuestas exteriores que lo fecunden y que lo tornen a su vez fecundo. Dialéctica de la autorrepresentación que de un modo u otro estará siempre presente en la obra de Neruda.

La situación no cambia sustancialmente durante la composición de CRP, *Crepusculario* (1920-1923), período que prolonga la prehistoria del poeta. El yo lírico continúa describiéndose en términos de *tener*, con predominio de autoalusiones indirectas (mi voz, mis jardines ausentes, mis ojos, mi espíritu intocado, mi alma entera, mi corazón, mi vida). Cada vez que intenta arribar a una identidad de conjunto (el castillo maldito, el estribillo del turco, el único surco de la tierra) será para regresar a la vieja autoconfiguración del precario, del desposeído, del impotente, del vencido, del maldito. Sin embargo, en una primera etapa (hasta mediados de 1922)[6] las tentativas de autorrepresentación consiguen recortar al interior de la precariedad del yo un recinto privilegiado, protegido, un ámbito de incontaminación y de blancura que parece asegurarle posibilidades de incidencia sobre la realidad. Para superar honestamente su impotencia menesterosa el hablante (pre)nerudiano no divisa otro camino que el de la campana de cristal ni otra disposición que la del poeta aislado, superior y vidente. Sólo desde esta altura aristocrática le es posible examinar el orden social deprimente con mirada compasiva, paternalistamente solidaria. Sólo desde afuera, desde la superioridad de su mester se permite el poeta un acercamiento activo a los enigmas de la condición humana: compadece, interroga, consuela y sobre todo manifiesta ánimo vehemente de incorporar su quehacer a una gran tarea de redención social. En este primer sector de CRP salta a la vista la preocupación por seres desvalidos, discri-

---

[6] Sobre las etapas de composición de CRP, cfr. Loyola 1967: 30.

minados o sufrientes: ciegos, prostitutas, burócratas, jugado-
res, campesinos, a quienes el hablante se dirige con aire distanciado y aleccionador: «y si por la amargura más bruta del
destino, / animal viejo y ciego, no sabes el camino, / yo que
tengo dos ojos te lo puedo enseñar» («Viejo ciego, llora-
bas»). En «Oración» el poeta se concibe como un «espíritu
intocado» cuya misión es volar y traspasar obstáculos para
asumir «el mal dolor, el agrio sino» de los seres sin válido
horizonte de existencia. El voluntarismo de esta autorrepresentación se manifiesta en la índole desiderativa de la expresión: «que el verso mío *sea* vivo», «que la tierra *florezca*
en mis acciones».

En textos de mediados de 1922 se advierte ya cómo el orgullo y la falsa seguridad del hablante ceden lugar a la duda
y al pavor: «Se va la poesía de las cosas / o no la puede
condensar mi vida?» («Barrio sin luz»). Desde una altivez
vacilante, un joven ensombrecido envidia ahora la oscuridad
del ciego: «Por tus ojos que nunca han mirado / cambiara
yo los míos que te ven!» («El ciego de la pandereta»). El
mundo, antes sentido como espacio rescatable a través del
canto, deviene acumulación de ruinas, lugar del dolor y del
derrumbe. «Tengo miedo», confiesa el hablante. Todo ha
cambiado. También el mar del verano, antaño asociado al sol
y al patio de las amapolas, ha devenido playa siniestra y
gris. La similitud de imágenes hostiles en «Tengo miedo» y
en «Playa del sur» prueba que los cambios de perspectiva al
interior de CRP no contraponen los polos del eje capital-
provincia sino que abarcan ambos espacios. De un modo cada
vez más concreto el hablante configura el ánimo de abandonar
el privilegio del alma, el prestigio de lo blanco, la ambición
de altura o de cielo. De Helios a los Crepúsculos, del recinto
encantado al castillo maldito, del vuelo del espíritu intocado
al enclaustramiento en los muros (cfr. Concha, 1974). La
imagen del vidente ha sido sustituida por la de una figura
trágica que «con los ojos rotos» sigue «una ruta sin fin» y
cuya alma, antes poblada de horizontes y sueños, es ahora
«un carrousel vacío en el crepúsculo». Paradoja: el espacio
del alma, que parecía confundirse con la vastedad del uni-

verso, termina por caber entre los muros de una habitación
de estudiante («mi estancia desnuda»); en cambio, el castillo maldito, «sin ventanas y sin puertas», se ofrece como espacio sin límites donde el hablante puede girar indefinidamente (como carrousel vacío) o dirigirse hacia ningún horizonte (como una ruta sin fin).

«El estribillo del turco» parece escrito adrede para resumir
irónicamente la trayectoria del hablante de CRP. El cuerpo
del poema es una letanía de exhortaciones optimistas y espe-
ranzadas, interrumpida por un último verso que de improviso
degüella toda luz, toda confianza: «Mentira, mentira, mentira!» A nivel de la autorrepresentación, es el poema «Mancha
en tierras de color» que ofrece el corolario emblemático: el
sujeto lírico, anti-Narciso, se asoma a un pozo cuyas aguas le
devuelven una imagen de sí desprovista de toda connotación
ideal, positiva o negativa: no un elegido, tampoco un maldito: una pura imagen física: «el agua retrata mi camisa
suelta / y mi pelo de hebras negras y revueltas». Reducción, por lo tanto. La tentativa de autorretrato concluye así
en CRP con una operación de limpieza: inmersión en aguas
del sur, simples como lluvia acumulada: lavación de la propia figura para mejor reproponerla. Acodarse a los bordes del
pozo —viejo símbolo del conocimiento— implica voluntad de
indagar todavía el *secreto* en la profundidad y en el silencio.


Dos nuevas tentativas de autorrepresentación [7], simultáneas y a la vez antagónicas, emergen desde la reducción ope-
rada al final de CRP. Una viene textualizada en HOE *(El
hondero entusiasta)* y exacerba el intento de CRP (no es
casual que ambos libros hayan sido en definitiva relegados
por el propio poeta a la prehistoria de su obra). La otra
se proyecta a VPA *(Veinte poemas de amor)*. Aparte la si-
multaneidad de su elaboración [8], las dos tentativas tienen en

---

[7] En el presente contexto *autorrepresentación* significa siempre
y obviamente, autorrepresentación del hablante (o sujeto lírico o
yo poético) nerudiano.

[8] Tanto HOE como VPA fueron compuestos entre comienzos
de 1923 y marzo-abril de 1924.

común el hecho de postular una imagen del yo en conexión y dependencia con una figura femenina catalizadora. HOE y VPA son, en efecto, poemarios de amor que incluyen cada uno un texto especial y más extenso [9]. Pero mientras HOE significará el fracaso de un nuevo y ambicioso esfuerzo hacia la configuración positiva del yo lírico, VPA —que desemboca en la aceptación aparente de una nueva derrota— logrará abrir las compuertas y desencadenar la verdadera poesía de Neruda.

En HOE el clima lírico se instaura como posibilidad de que la embriaguez y el delirio sitúen por fin al hablante en el camino creador y en la satisfacción que hasta ahora lo huyen. La irracionalidad y el vértigo lo salvarán del extravío. De ahí que en este libro el sujeto poético corporice la figura de una hembra de redención: el sexo como fuente del delirio liberador que deberá parir la criatura anhelada por el yo: el Hondero. La amada de HOE es, pues, una invención postulada por el yo al servicio de su necesidad de ser y a la cual exige la misión de fundamentar su poesa. Los poemas de HOE están literalmente poblados de imperativos que instan a la Amada a la actividad salvadora: ámame, quiéreme, anhélame, retiéneme, víbrame, ansíame, agótame, viérteme, sacrifícate, llénate de mí, libértame de mí, recógeme, ayúdame, bésame, incéndiame, son algunas de las variantes del reclamo. A través de este lenguaje-delirio hecho de jadeos, síncopas y espasmos el hablante se exhibe en una situación límite de precariedad o de peligro. Es la «esclava» (poema 10) quien ha de actuar para salvarlo: ella es la princesa azul («azul y alada», poema 7) que el príncipe desolado forja en su castillo maldito para su propia liberación y rescate (ver poemas 6, 7, 8...). Ella es «la sed y lo que ha de saciarla» (poema 11). A la insistente postulación *activa* de la Amada corresponde en el hablante la más impúdica autopostulación *pasiva,* ávida, voraz, apenas atenuada con promesas de gratificación compensatoria (ej., «seré la ruta tuya», poema 8). Tan menesterosa dependencia manifiesta, sin embargo, bajo

---

[9] En paralelo a VPA, HOE se podría titular «once poemas de amor y una canción exasperada».

forma de *compromesso,* el imperativo del vuelo propio unido al sentimiento de impotencia: la admisión de una actual
invalidez y la renuncia temporal a la iniciativa significan un
paso táctico, previo a la afirmación viril (esto es, al vuelo
creador). El cruce entre la experiencia sexual y el problema
de la impotencia poética se configura de modo inequívoco
en el poema 2: «es como una marea cuando ella está a mi
lado». La tensión erótica reabre la posibilidad verdadera del
canto al determinar en el hablante una turbulencia cósmica,
un choque de contrarios, una monstruosa acumulación de poderío. Buscando una semejanza, eso que sucede dentro de él
es como una marea[10]. Lo cual atrae al poema la visión del
océano chileno del sur: aguas agresivas, audaces, masculinas,
«avanzando sobre las playas como / una mano atrevida debajo de una ropa». Pues bien, cuando ella está a su lado el
hablante se siente océano, pero océano impotente, algo como
una ola que va y no vuelve, o como una ola que hincha su
volumen sin desencadenarlo hacia la playa, una ola que no es
ola. «Si mis palabras clavan apenas como agujas / debieran
desgarrar como espadas o arados!» Su poesía es entonces un
parto de los montes: no responde a la presión interior, no
consigue irrumpir con agresividad de combate (espadas) ni
de trabajo (arados).

Al interior de la estructura de HOE este poema 2 parece
diseñar la situación inicial de carencia mientras los que siguen desarrollan la tentativa de solución: la conquista de la
agresividad a través del eros. En cambio, el poema que abre
el libro, de composición *posterior* a la de los otros once[11],
es sin duda el punto de arribo. En este texto desaparece la
figura femenina. El hablante ha logrado extraer de la Mujer
la confianza necesaria para emprender, solo, la aventura con

---

[10] No es que *ella,* la Amada, sea una marea, como lee Rodríguez Monegal 1966: 192. Al contrario, es *él* quien se siente *mar*
cuando ella está a su lado («es algo que me lleva desde adentro
y me crece)».

[11] Se publica en *Atenea* 4 (julio de 1924), casi simultáneamente
con VPA. Obsérvese que, en simétrica oposición, el poema «El hondero entusiasta» abre HOE, mientras «La canción desesperada»
cierra VPA.

tra el cerco opresivo [12]. Emerge así la figura del Hondero, acaso sugerida por la del bíblico David en asociación al carácter descomunal de su combate: todo su arsenal masculino —flecha, centella, cuchilla, proa, las piedras de su honda— buscará frenéticamente violar la noche y abrirse una puerta en sus muros. La Noche, espacio de gestación y de virtualidades, habrá de parir el Día, la claridad que el hablante necesita. Pero la impotencia subsiste. La grandilocuencia y la confusa exaltación del Hondero se pueden leer como esfuerzo patético que busca disimular o desconocer el nuevo fracaso. Al comienzo y al final del poema, la imagen de los brazos que giran como aspas locas simboliza el ímpetu sin destino [13].

---

[12] «Recuerdo que, *desprendiéndome ya del tema amoroso y llegando a la abstracción,* el primero de esos poemas, que da título al libro, lo escribí en una noche extraordinariamente quieta, en Temuco, en verano, en casa de mis padres» (Neruda, «Algunas reflexiones improvisadas sobre mis trabajos», 1964, en OCP III, 709).

[13] Sobre HOE, cfr. Concha 1974: 22 ss.; Sicard 1977: 24 ss.; Yurkiévich 1973: 181-183.

*Maestranzas de noche*

Hierro negro que duerme, fierro negro que gime
por cada poro un grito de desconsolación.

Las cenizas ardidas sobre la tierra triste,
los caldos en que el bronce derritió su dolor.

Aves de qué lejano país desventurado
graznaron en la noche dolorosa y sin fin?

Y el grito se me crispa como un nervio enroscado
o como la cuerda rota de un violín.

Cada máquina tiene una pupila abierta
para mirarme a mí.

En las paredes cuelgan las interrogaciones,
florece en las bigornias el alma de los bronces
y hay un temblor de pasos en los cuartos desiertos.

Y entre la noche negra —desesperadas— corren
y sollozan las almas de los obreros muertos.

[CRP]


*Oración*


Carne doliente y machacada,
raudal de llanto sobre cada
noche de jergón malsano:
en esta hora yo quisiera
ver encantarse mis quimeras
a flor de labio, pecho y mano,
para que desciendan ellas
—las puras y únicas estrellas
de los jardines de mi amor—
en caravanas impolutas
sobre las almas de las putas
de estas ciudades del dolor.

Mal de amor, sensual lacería:
campana negra de miseria:
rosas del lecho de arrabal,
abierto al mal como un camino
por donde va el placer y el vino
desde la gloria al hospital.

En esta hora en que las lilas
sacuden sus hojas tranquilas

para botar el polvo impuro,
vuela mi espíritu intocado,
traspasa el huerto y el vallado,
abre la puerta, salta el muro

y va enredando en su camino
el mal dolor, el agrio sino,
y desnudando la raigambre
de las mujeres que lucharon
y cayeron
y pecaron
y murieron
bajo los látigos del hambre.

No sólo es seda lo que escribo:
que el verso mío sea vivo
como recuerdo en tierra ajena
para alumbrar la mala suerte
de los que van hacia la muerte
como la sangre por las venas.

De los que van desde la vida
rotas las manos doloridas
en todas las zarzas ajenas:
de los que en estas horas quietas
no tienen madres ni poetas
para la pena.

Porque la frente en esta hora
se dobla y la mirada llora
saltando dolores y muros:
en esta hora en que las lilas
sacuden sus hojas tranquilas
para botar el polvo impuro.

[CRP]

*Barrio sin luz*

Se va la poesía de las cosas
o no la puede condensar mi vida?
Ayer —mirando el último crepúsculo—
yo era un manchón de musgo entre unas ruinas.

Las ciudades —hollines y venganzas—,
la cochinada gris de los suburbios,
la oficina que encorva las espaldas,
el jefe de ojos turbios.

Sangre de un arrebol sobre los cerros,
sangre sobre las calles y las plazas,
dolor de corazones rotos,
podre de hastíos y de lágrimas.

Un río abraza el arrabal como una
mano helada que tienta en las tinieblas:
sobre sus aguas
se avergüenzan de verse las estrellas.

Y las casas que esconden los deseos
detrás de las ventanas luminosas,
mientras afuera el viento
lleva un poco de barro a cada rosa.

Lejos... la bruma de las olvidanzas
—humos espesos, tajamares rotos—,
y el campo, el campo verde!, en que jadean
los bueyes y los hombres sudorosos.

Y aquí estoy yo, brotado entre las ruinas,
mordiendo solo todas las tristezas,
como si el llanto fuera una semilla
y yo el único surco de la tierra.

[CRP]

*imagen pasiva*

*El castillo maldito*

Mientras camino la acera va golpeándome los pies,
el fulgor de las estrellas me va rompiendo los ojos.
Se me cae un pensamiento como se cae una mies
del carro que tambaleando raya los pardos rastrojos.

Oh pensamientos perdidos que nunca nadie recoge,
si la palabra se dice, la sensación queda adentro:
espiga sin madurar, Satanás le encuentre troje,
que yo con los ojos rotos no le busco ni le encuentro!

Que yo con los ojos rotos sigo una ruta sin fin...
Por qué de los pensamientos, por qué de la vida en vano?
Como se muere la música si se deshace el violín,
no moveré mi canción cuando no mueva mis manos.

Alto de mi corazón en la explanada desierta
donde estoy crucificado como el dolor en un verso...
Mi vida es un gran castillo sin ventanas y sin puertas
y para que tú no llegues por esta senda,
                                          la tuerzo.
                                              [CRP]

*Tengo miedo*

Tengo miedo. La tarde es gris y la tristeza
del cielo se abre como una boca de muerto.
Tiene mi corazón un llanto de princesa
olvidada en el fondo de un palacio desierto.

Tengo miedo. Y me siento tan cansado y pequeño
que reflejo la tarde sin meditar en ella.
(En mi cabeza enferma no ha de caber un sueño
así como en el cielo no ha cabido una estrella.)

Sin embargo en mis ojos una pregunta existe
y hay un grito en mi boca que mi boca no grita.
No hay oído en la tierra que oiga mi queja triste
abandonada en medio de la tierra infinita!

Se muere el universo de una calma agonía
sin la fiesta del sol o el crepúsculo verde.
Agoniza Saturno como una pena mía,
la tierra es una fruta negra que el cielo muerde.

Y por la vastedad del vacío van ciegas
las nubes de la tarde, como barcas perdidas
que escondieran estrellas rotas en sus bodegas.

Y la muerte del mundo cae sobre mi vida.

                                                    [CRP]


[*El hondero entusiasta*]


Hago girar mis brazos como dos aspas locas...
en la noche toda ella de metales azules.

Hacia donde las piedras no alcanzan y retornan.
Hacia donde los fuegos oscuros se confunden.
Al pie de las murallas que el viento inmenso abraza.
Corriendo hacia la muerte como un grito hacia el eco.

El lejano, hacia donde ya no hay más que la noche
y la ola del designio, y la cruz del anhelo.
Dan ganas de gemir el más largo sollozo.
De bruces frente al muro que azota el viento inmenso.

Pero quiero pisar más allá de esa huella:
pero quiero voltear esos astros de fuego:
lo que es mi vida y es más allá de mi vida,
eso de sombras duras, eso de nada, eso de lejos:
quiero alzarme en las últimas cadenas que me aten,
sobre este espanto erguido, en esta ola de vértigo,
y echo mis piedras trémulas hacia este país negro,
solo, en la cima de los montes,
solo, como el primer muerto,
rodando enloquecido, presa del cielo oscuro
que mira inmensamente, como el mar en los puertos.

Aquí, la zona de mi corazón,
llena de llanto helado, mojada en sangres tibias.
Desde él, siento saltar las piedras que me anuncian.
En él baila el presagio del humo y la neblina.
Todo de sueños vastos caídos gota a gota.

Todo de furias y olas y mareas vencidas.
Ah, mi dolor, amigos, ya no es dolor de humano.
Ah, mi dolor, amigos, ya no cabe en mi vida.
Y en él cimbro las hondas que van volteando estrellas!
Y en él suben mis piedras en la noche enemiga!
Quiero abrir en los muros una puerta. Eso quiero.
Eso deseo. Clamo. Grito. Lloro. Deseo.
Soy el más doloroso y el más débil. Lo quiero.
El lejano, hacia donde ya no hay más que la noche.

Pero mis hondas giran. Estoy. Grito. Deseo.
Astro por astro, todos fugarán en astillas.

Mi fuerza es mi dolor, en la noche. Lo quiero.
He de abrir esa puerta. He de cruzarla. He de vencerla.
Han de llegar mis piedras. Grito. Lloro. Deseo.

Sufro, sufro y deseo. Deseo, sufro y canto.
Río de viejas vidas, mi voz salta y se pierde.
Tuerce y destuerce largos collares aterrados.
Se hincha como una vela en el viento celeste.
Rosario de la angustia, yo no soy quien lo reza.
Hilo desesperado, yo no soy quien lo tuerce.
El salto de la espada a pesar de los brazos.
El anuncio en estrellas de la noche que viene.
Soy yo: pero es mi voz la existencia que escondo.
El temporal de aullidos y lamentos y fiebres.
La dolorosa sed que hace próxima el agua.
La resaca invencible que me arrastra a la muerte.

Gira mi brazo entonces, y centellea mi alma.
Se trepan los temblores a la cruz de mis cejas.
He aquí mis brazos fieles! He aquí mis manos ávidas!
He aquí la noche absorta! Mi alma grita y desea!
He aquí los astros pálidos todos llenos de enigma!
He aquí mi sed que aúlla sobre mi voz ya muerta!
He aquí los cauces locos que hacen girar mis hondas!
Las voces infinitas que preparan mi fuerza!
Y doblado en un nudo de anhelos infinitos,
en la infinita noche, suelto y suben mis piedras.

Más allá de esos muros, de esos límites, lejos.
Debo pasar las rayas de la lumbre y la sombra.
Por qué no he de ser yo? Grito. Lloro. Deseo.
Sufro, sufro y deseo. Cimbro y zumban mis hondas.
El viajero que alargue su viaje sin regreso.
El hondero que trice la frente de la sombra.
Las piedras entusiastas que hagan parir la noche.

La flecha, la centella, la cuchilla, la proa.
Grito. Sufro. Deseo. Se alza mi brazo, entonces,
hacia la noche llena de estrellas en derrota.

He aquí mi voz extinta. He aquí mi alma caída.
Los esfuerzos baldíos. La sed herida y rota.
He aquí mis piedras ágiles que vuelven y me hieren.
Las altas luces blancas que bailan y se extinguen.
Las húmedas estrellas absolutas y absortas.
He aquí las mismas piedras que alzó mi alma en combate.
He aquí la misma noche desde donde retornan.

Soy el más doloroso y el más débil. Deseo.
Deseo, sufro, caigo. El viento inmenso azota.
Ah, mi dolor, amigos, ya no es dolor de humano!
Ah, mi dolor, amigos, ya no cabe en la sombra!
En la noche toda ella de astros fríos y errantes,
hago girar mis brazos como dos aspas locas.

                                                    [HOE]


[*Es como una marea*]


Es como una marea, cuando ella clava en mí
sus ojos enlutados,
cuando siento su cuerpo de greda blanca y móvil
estirarse y latir junto al mío,
es como una marea, cuando ella está a mi lado.

He visto tendido frente a los mares del Sur,
arrollarse las aguas y extenderse
incontenidamente,
fatalmente
en las mañanas y al atardecer.

Agua de las resacas sobre las viejas huellas,
sobre los viejos rastros, sobre las viejas cosas,
agua de las resacas que desde las estrellas
se abre como una inmensa rosa,
agua que va avanzando sobre las playas como
una mano atrevida debajo de una ropa,
agua internándose en los acantilados,
agua estrellándose en las rocas,
agua implacable como los vengadores
y como los asesinos silenciosa,
agua de las noches siniestras
debajo de los muelles como una vena rota,
como el corazón del mar
en una irradiación temblorosa y monstruosa.

Es algo que me lleva desde adentro y me crece
inmensamente próximo, cuando ella está a mi lado,
es como una marea rompiéndose en sus ojos
y besando su boca, sus senos y sus manos.

Ternura de dolor, y dolor de imposible,
ala de los terribles deseos,
que se mueve en la noche de mi carne y la suya
con una aguda fuerza de flechas en el cielo.

Algo de inmensa huida,
que no se va, que araña adentro,
algo que en las palabras cava tremendos pozos,
algo que contra todo se estrella, contra todo,
como los prisioneros contra los calabozos!

Ella, tallada en el corazón de la noche,
por la inquietud de mis ojos alucinados:
ella, grabada en los maderos del bosque
por los cuchillos de mis manos,

ella, su goce junto al mío,
ella, sus ojos enlutados,
ella, su corazón, mariposa sangrienta
que con sus dos antenas de instinto me ha tocado!

No cabe en esta estrecha meseta de mi vida!
Es como un viento desatado!

Si mis palabras clavan apenas como agujas
debieran desgarrar como espadas o arados!

Es como una marea que me arrastra y me dobla,
es como una marea, cuando ella está a mi lado!

[HOE]


[*Llénate de mí*]


Llénate de mí.
Ansíame, agótame, viérteme, sacrifícame.
Pídeme. Recógeme, contiéneme, ocúltame.
Quiero ser de alguien, quiero ser tuyo, es tu hora.
Soy el que pasó saltando sobre las cosas,
el fugante, el doliente.

Pero siento tu hora,
la hora de que mi vida gotee sobre tu alma,
la hora de las ternuras que no derramé nunca,
la hora de los silencios que no tienen palabras,
tu hora, alba de sangre que me nutrió de angustias,
tu hora, medianoche que me fue solitaria.

Libértame de mí. Quiero salir de mi alma.
Yo soy esto que gime, esto que arde, esto que sufre.

Yo soy esto que ataca, esto que aúlla, esto que canta.
No, no quiero ser esto.
Ayúdame a romper estas puertas inmensas.
Con tus hombros de seda desentierra estas anclas.
Así crucificaron mi dolor una tarde.

Quiero no tener límites y alzarme hacia aquel astro.
Mi corazón no debe callar hoy o mañana.
Debe participar de lo que toca,
debe ser de metales, de raíces, de alas.
No puedo ser la piedra que se alza y que no vuelve,
no puedo ser la sombra que se deshace y pasa.

No, no puede ser, no puede ser, no puede ser.
Entonces gritaría, lloraría, gemiría.
No puede ser, no puede ser.
Quién iba a romper esta vibración de mis alas?
Quién iba a exterminarme? Qué designio, qué palabra?
No puede ser, no puede ser, no puede ser.
Libértame de mí. Quiero salir de mi alma.

Porque tú eres mi ruta. Te forjé en lucha viva.
De mi pelea oscura contra mí mismo, fuiste.
Tienes de mí ese sello de avidez no saciada.
Desde que yo los miro tus ojos son más tristes.
Vamos juntos. Rompamos este camino juntos.
Seré la ruta tuya. Pasa. Déjame irme.
Ansíame, agótame, viérteme, sacrifícame.
Haz tambalear los cercos de mis últimos límites.

Y que yo pueda, al fin, correr en fuga loca,
inundando las tierras como un río terrible,
desatando estos nudos, ah Dios mío, estos nudos,
destrozando,
quemando,

arrasando
como una lava loca lo que existe,
correr fuera de mí mismo, perdidamente,
libre de mí, furiosamente libre.
Irme,
Dios mío,
irme!

[*HOE*]

# II

## 1924-1926

VPA (*Veinte poemas de amor*) comporta el salto de cualidad que introduce en la poesía de Neruda las claves de su desarrollo. Por eso Neruda comienza de veras con VPA. Este libro inaugura una dialéctica decisiva: la revelación del yo lírico nerudiano es inseparable de la revelación de un cierto espacio que le es propio, de una específica circunstancia. O, si se prefiere: en VPA la tentativa de autorrepresentación del hablante se textualiza por primera vez en interdependencia estructural con una tentativa de *sustantivación* de su espacio personal (en el caso concreto: con una tentativa de *sustantivación mitificante* del espacio fundador, de la provincia de la infancia). En este sentido, CRP y HOE aparecen como intentos todavía altamente inestables, sin raíces ni fundamento verdaderos: el yo lírico se autodiseña contra un espacio mental arbitrario, voluntarístico (HOE), o al interior de un espacio «literariamente» tematizado (las secciones en que se divide CRP). Espacios en definitiva sustituibles, accesorios, adjetivos. VPA inicia, en cambio, la fundación —en los textos— de un espacio insustituible y necesario (y sustantivo, por lo tanto). Lo cual significa inaugurar —en los textos— el reconocimiento y la progresiva verbalización poética del mundo real, exterior al hablante [14]. «Emprendí la más grande salida de mí mismo», explica el poeta a propósito de VPA («Exégesis y soledad»: PNN, *Para nacer he nacido*, 25). Es en VPA que Neruda comienza a dar existencia y consistencia poéticas, a textualizar de veras el sur de su infancia, espacio virginal que hasta entonces el muchacho, sin osar penetrarlo con su propio lenguaje, sólo había logrado «traducir» fragmentariamente a un lenguaje prestado. «Este es un puerto», balbucea el hablante en el poema 18 con gesto deíctico de libro de primeras letras. Pero no se trata sólo de mostrar su mundo [15]; a partir de VPA el sur de la infancia comienza a diseñarse como *centro mítico* sustentador de todas las aventuras y exploraciones poéticas que emprenderá Neruda en adelante [16]. El hablante funda en VPA su base *mítica* de operaciones. Se ha iniciado así un desplazamiento fundamental en la perspectiva creadora del poeta: desde una óptica dependiente y europeizante (el orden de la experiencia al servicio del orden de la lectura) a una óptica cada vez más autónoma y latinoamericana (con acento en el orden de la experiencia). Pero precisamente por esto VPA es el momento en que Neruda asume, con creciente originalidad, la verdadera lección de sus grandes modelos europeos.

La estructura temática de CRP deviene en VPA secuencia y, en cierto modo, historia (de amor y desamor: cfr. Loyola 1975a). El poema 1 remite a ciertos antecedentes y corrobora la continuidad del hablante único que despliega en los libros de Neruda su obstinada tentativa de autorretrato: «Fui sólo como un túnel... / ... / Para sobrevivirme te forjé como

---

[14] Sobre textos anteriores que anuncian esta orientación (por ejemplo, «Maestranzas de noche», «Puentes» y «Barrio sin luz» de CRP), cfr. Concha 1972: 101 *et passim*.

[15] Tarea ya asumida característicamente por el mundonovismo posnaturalista.

[16] Es por esto que a partir de VPA la obra de Neruda se inscribe con decisión en el ámbito más *contemporáneo* de la literatura latinoamericana. En otra clave, Temuco (la Frontera) es a Neruda lo que Macondo y Santa María son a García Márquez y a Onetti.

un arma, / como una flecha en mi arco, como una piedra en mi honda.» La alusión es evidente. Ahora el yo, abandonados su atuendo y sus piedras de hondero, proclama una reducción significativa: «pero cae la hora de la venganza y te amo». En este diseño del yo, una vehemencia elemental y profunda sustituye a la gesticulación delirante del Hondero: «mi cuerpo de labriego salvaje te socava». Vehemencia orientada ahora hacia *abajo,* hacia lo hondo, ya no más hacia las estrellas. Ya no más reclamo de embriaguez o salvación sino atención directa hacia el cuerpo de la amada («blancas colinas, muslos blancos») y en ese cuerpo hacia el mundo («te pareces al mundo»). Todo el libro certifica esta nueva atención al escenario (al *mundo)* más allá de los personajes. En el poema 4 no encontramos siquiera el amor sino sólo su marco, el alrededor de los enamorados, la tempestad, el verano, y sobre todo el viento que circula por el libro con su amenaza (cfr. Santander 1971: 98 y Loyola 1975a: 346). La elusión del contexto social en VPA se inscribe en un movimiento general de reducción (o restricción) a lo erótico y a su inmediato entorno. Pero no se trata de evasión sino más bien de regreso a un nivel real de ingenuidad, a una especie de nivel cero apto para recomenzar y revitalizar la experiencia (cfr. Concha 1972: 190 y 207; Loyola 1975a: 347-348).

Un diverso vínculo con la amada se establece en VPA, abandonando la pasividad menesterosa característica de HOE. La figura femenina despliega ahora una imagen diversificada: es cuerpo en el poema 1, es guía en el poema 3, es invasora total del mundo y del canto en el poema 5 («todo lo ocupas tú, todo lo ocupas»), en el poema 8 es «la última rosa» de consolación en el desierto, es anclaje cotidiano en el poema 12 y en el poema 14 aparece potenciada por el amante («quiero hacer contigo / lo que la primavera hace con los cerezos»). En el poema 12 el canto del poeta presta voz y alas «a lo que estaba dormido sobre tu alma» y en el poema 15 el amante participa a la construcción de la amada: «como todas las cosas están llenas de mi alma / emerges de las cosas llena del alma mía». Estos últimos versos manifiestan la nueva relación entre el yo, la amada y el mundo. Las cosas están penetradas del alma del hablante (dialéctica de su hambre de mundo) y por eso contaminan a la amada que de ellas emerge. Es significativo que las cosas preexisten al alma del hablante y que existen fuera de ella: son objetividad implícitamente reconocida. Cae así la hora de otra venganza, la de las cosas, la del (su) mundo que el hablante está aprendiendo a reconocer de verdad.

La autorrepresentación del yo describe en VPA una parábola «narrativa» que arranca del *pasado* («fui solo como un túnel»), que atraviesa el presente «histórico» del texto (de «aquí te amo» a «ya no la quiero, es cierto») y que desemboca en el *presente* actual o conclusivo de «La canción desesperada» («es la hora de partir, oh abandonado!»). Entre las soledades inicial y final hay una experiencia de amor, como en HOE, que se resuelve, sin embargo, de modo decisivamente diverso. En HOE el yo se despide insistiendo, frenético, en apuntalar una imagen hierática y positiva de sí (el Hondero), mientras en VPA el yo se atreve a aceptar el nuevo fracaso sin derrumbarse. Por primera vez en la diacronía de nuestro hablante, la propuesta de una autorrepresentación reductiva y nada hierática («abandonado como los muelles en el alba») no implica total desvalidez de horizontes ni extrema sensación de impotencia o miseria. (El paso siguiente será la desacralización del yo.) El poema 20, *ars poetica* a su modo, manifiesta cómo al desaparecer el amor aún resta al hablante la instancia última del canto, el ejercicio mismo de la poesía: «puedo escribir los versos más tristes esta noche». Tal vez el secreto del célebre verso reside en que el temple de tristeza viene textualizado por apelación al núcleo de la poética nerudiana: la poesía como trabajo, como quehacer central. Más allá del amor y los amores, y abandonado el recurso a una figura de mujer-salvación, es ahora la poesía misma (el *hacer* poemas, el *escribir* versos) que emerge por primera vez en el Texto como instancia suprema, capaz de cimentar la existencia del hablante y de vincularlo hondamente con el mundo, aun después del naufragio. Al trascender la muerte del amor, el canto se revela bálsamo y alimento a la vez: «Oír la noche inmensa, más inmensa sin ella. / Y el verso cae al alma como al pasto el rocío.»

Al interior de esta *historia* (que es la forma específica de la tentativa de autorretrato en VPA), «La canción desesperada» corresponde naturalmente a un *epílogo* (referido a un *ahora:* versos 1-6 y 51-58) que enmarca el *recuento* o resumen de la experiencia (recuento referido a un *antes:* versos 7-50). El *ahora* del hablante es el espacio que habita: la Noche. Ya no más el espacio del Amor: la amada es sólo un elemento subsidiario de la noche: «emerge tu recuerdo de la noche en que estoy». La ambigüedad de la noche es una de las claves del poema (y de la venidera poesía de Neruda): por un lado es oscuridad, incertidumbre, tristeza; por otro es hondura, oscuro florecimiento, fermentación, espacio de gestación del recuerdo, es decir, de la poesía («a ti en esta hora húmeda, evoco y hago canto»). En cuanto profundidad la noche viene asociada (verso 2) a otro espacio también ambiguo aquí, el del mar, que es sugerido como recipiente del naufragio pero al mismo tiempo como permanencia (¿o eternidad?) capaz de asegurar la posibilidad del volver a partir, del continuar, del ir «más allá de todo». Si en el poema 1 la noche era todavía el pasado por superar, ahora el hablante *está* en la noche, la acepta como domicilio inevitable. Al dejar atrás la noche en cuanto *enemiga,* VPA —al contrario de HOE— comporta un considerable impulso hacia la génesis de RST [17].

Los tres libros de 1926 (THI, *Tentativa del hombre infinito;* HYE, *El habitante y su esperanza;* ANS, *Anillos*) certifican y desarrollan el proceso de sustantivación mitificante del sur de la infancia, iniciado en VPA. El relativo desinterés que esos libros muestran por la línea erótica ha siempre desorientado a la crítica, que acaso habría esperado —dentro de una lógica del éxito— otros veinte o cuarenta poemas de

---

[17] Sobre VPA, cfr. Camacho Guizado 1978, Concha 1972, De Costa 1979, Loveluck, 1975, Loyola 1975a, Morelli 1979, Rodríguez Monegal 1966, Santander 1971, Sicard 1977.

amor. La autorrepresentación insiste en cambio sobre el
escenario. «Este es un puerto», apuntaba el poema 18 de
VPA. «Esta es mi casa», prosigue el poema 10 de THI,
«aún la perfuman los bosques / desde donde la acarreaban».
Neruda introduce aquí francamente el mundo de su infancia,
la experiencia hasta entonces latente (cfr. Loyola 1975b:
111-114 y n. 8; Loyola 1978a). El reconocimiento del entorno material se proyecta al lenguaje como deixis elemental:
ésta es mi casa, ésta es la ventana, he aquí las puertas (ver
poema 10). El descubridor empieza por *nombrar* el mundo
que se le revela, su filiación constitutiva, y a la vez proclama una fraternidad de raíces. «De quién fue el hacha que
rompió los troncos»: los objetos no sólo manifiestan al hablante su materia (madera) de origen sino también las huellas del *trabajo* transformador cumplido en el tiempo: son la
proyección del hombre (quién) y de su herramienta (hacha)
en una dimensión temporal (fue) ajena a la subjetividad del
poeta. «Tal vez el viento colgó de las vigas / su peso profundo olvidándolo entonces»: la imagen del viento adquiere
aquí temporalidad (que no tenía en VPA) al asociarse
al pasado de las vigas, antiguas ramas de alerce o de
coigüe en la selva sureña. El espacio mítico así reconocido empieza a poblarse con otros objetos de la memoria personal: «oh lluvia que creces como las plantas oh victrolas en-
simismadas» (THI 14: 10), «los cinematógrafos desocupados... / ... / los árboles interesantes como periódicos los
caseríos los rieles» (14: 4, 14). La atmósfera húmeda del sur
impregna todo el libro. Una presencia insistente y novedosa:
los trenes: «el sueño avanza trenes» (3: 1), imagen donde la
noche y lo onírico se asocian —y no por última vez— al
rumor ferroviario [18].

En cuanto implica abandonar pretensiones de espacios cós-
micos o literariamente prestigiosos, la sustantivación del sur
se integra en THI a un proceso general de reducción. Otro

---

[18] Desde otro ángulo, la concurrencia de máquinas, vehículos,
victrolas, cinematógrafos, periódicos, atrae a THI el sabor de la
vanguardia. Al respecto, cfr. PNN 391, Alazraki 1972 y en particular De Costa 1979 (cap. 3, «The Vanguard Experiment»).

decisivo aspecto de tal proceso es la *desacralización* del hablante y de su faena, en conflicto con una ahogada tendencia a lo *profético* (conflicto que alcanzará su crisis mayor en RST). El descenso del nivel hierático de las autorreferencias, ya notorio en VPA, se acentúa en THI hasta anticipar el *testigo* residenciario: «estás solo *centinela*» (4: 9), «*emisario* distraído» (5: 2), «*centinela* de las malas estaciones» (15: 15). El hablante ha reducido el tamaño de su imagen al de un portavoz o al de un modesto observador-vigía del mundo. La orientación desacralizadora de la autorrepresentación se intensifica con recursos antipatéticos. Con frecuencia el hablante se refiere a sí mismo en tercera persona, a veces bajo la simple mención *hombre* y acentuando su condición cotidiana: «un hombre de veinte años» (3: 17), «un hombre a la vuelta del camino» (13: 7) e incluso «pobre hombre» (13: 38). Hasta el *hombre infinito* del título nos parece neutramente vinculado al carácter interminable de una escritura sin puntuación, abierta y sin límites, y no a una reproposición hierática del yo. Hay otras autoalusiones en tercera persona: «él quería» (3: 18), «te asalta un ser sin recuerdos» (5: 14) [19]. La ambigüedad del ánimo escinde al hablante oponiendo «la tristeza del hombre» (1: 4) a «mi alegre canto de hombre» (6: 19), o bien: «mi alma en desesperanza y en alegría» (5: 8). Las autoalusiones de negatividad definida se refieren al pasado conectando un *antes* y un *ahora* en el modo de hacer poesía. El signo del cambio es el motivo de la noche, ahora vinculada a una cierta exaltación: «la noche como vino invade el túnel» (5: 6) [20] y, aún más, ahora «no sé hacer el canto de los días / sin querer suelto el canto la alabanza de las noches» (6: 1-2). Pero también la noche se somete a la desacralización: en el poema 14 la noche cósmica deviene noche de trapo, asociada a las vacas, mientras en el poema 15 ingresa con ternura al espacio de la infancia:

---

[19] Cfr. «el joven sin recuerdos te saluda» (en RST, «Serenata»: poema publicado en diciembre de 1925).

[20] En evidente contraste con: «Fui solo como un *túnel*... / y en mí la noche entraba su *invasión* poderosa» (VPA, poema 1).

«a tu árbol noche querida sube un niño / a robarse las frutas».

Forma clave de la reducción en THI es el *control*. El hablante conoce por experiencia los riesgos de engaño o extravío que comporta la embriaguez y por eso instaura en el texto —como aspecto esencial de su lenguaje— una severa sujeción de la expresividad tumultuosa o del desborde a que lo empujan la exaltación o el amor. Esto determina variantes de una autoalusión insistente: «bailarín en el hilo» (4: 3), «bailador asombrado» (6: 23), «equilibrista enamorado» (13: 37), insertas en un sistema de imágenes que por un lado remite al júbilo de la danza (6: 21-22) y por otro al hilo, alambre o cuerda floja que sostiene las vacilaciones o dudas (6: 20, 9: 2). Pero lo decisivo es la reflexión sobre el acto de crear, sobre el tema mismo de la poesía. El poema 5 registra el esfuerzo furioso por romper las resistencias: «araño esta corteza destrozo los ramales de la hierba», mientras en el poema 11 («admitiendo el cielo») la desacralización del hablante llega al extremo de introducir al lector —por primera vez— en el taller del poeta. El asunto del poema es la génesis misma del poema. El hablante, que en el poema 9 se autodiseña como navío listo para partir en compañía de la amada (9: 24-25), amplifica ahora a un primer plano el duro momento del zarpar. Para este poeta de hábitos diurnos no es nada fácil internarse en la noche, se siente falto de ruta y torpe de maniobras, y es natural entonces que en el poema 11 (y en otros de THI) atienda interrogativamente al *cómo* del quehacer poético [21].

Otra forma del viaje (ahora en tren) aparece en el poema 14: «en un tren de satisfacciones desde donde mi retrato / tiene detrás el mundo que describo con pasión / los árboles interesantes como periódicos los caseríos los rieles». La ley de ambigüedad que domina en THI (y en RST) asoma de modo muy visible en el sintagma «el mundo que describo con pasión», donde por un lado el verbo *describo* confirma el carácter neutro y desacralizado que el hablante atri-

---

[21] Cfr. Neruda, «Algunas reflexiones improvisadas sobre mis trabajos», en OCP III, 712.

buye ahora a su misión lírica, pero por otro la frase *con pasión* se encarga de rescatar inmediatamente la parcialidad irrenunciable de su óptica. El viaje asume aquí la forma de un trayecto en tren (sobre la reiterada experiencia biográfica de esos años: los viajes al sur). Desde el interior del vagón el hablante contempla su propia efigie reflejada en el cristal de la ventanilla y, tras ese difuso pero sostenido primer plano, la variedad del mundo que transcurre. La imagen simboliza la incorporación acelerada —a su poesía— de los elementos que componen el espacio mítico-fundacional del hablante, pero también la dialéctica *yo-mundo* que esa poesía propone. Poesía que crecientemente busca hablar del yo cuando parece aludir al mundo y hablar del mundo cuando sólo parece interesada en el yo del hablante [22].

El *habitante* de HYE *(El habitante y su esperanza)* es un paso fuerte hacia la total neutralización y desacralización de la figura del hablante (y narrador en este caso). El *poema* THI, en su linearidad uniforme y abierta aspiraba a significar desplazamiento, viaje, tropismo, en tanto que la *novela* HYE no pretende narrar nada, no aspira a contar ninguna aventura ni modificación sino, por el contrario, a evidenciar la inmovilidad, la inacción. «No me interesa relatar cosa alguna», declara Neruda en el prólogo de HYE. El texto contiene sin embargo una escueta intriga. Personajes principales son el narrador-protagonista y Florencio Rivas, dos amigos al margen de la ley: ambos son cuatreros, ladrones de caballos que actúan en sociedad. El narrador ama a Irene, mujer de Florencio. Este asesina a Irene y huye. La obsesión de venganza asedia al narrador, pero en el momento mismo en que puede cumplirla su mano retrocede, es incapaz de actuar. Historia sólo en apariencia movida, pues su despliegue textual se apoya morosamente sobre los «tiempos débiles» de la acción (cfr. Sicard 1977: 88). ¿Por qué cuatreros? ¿Y qué

[22] Cfr. un análisis más detallado de THI en Loyola 1975b. Ver también: Alazraki 1972, Camacho Guizado 1978, De Costa 1979, Sicard 1977, Yurkiévich 1973.

relación hay entre el narrador-protagonista de HYE y la figura de nuestro hablante? Volvamos al prólogo: «Como ciudadano soy hombre tranquilo, enemigo de leyes, gobiernos e
instituciones establecidas. Tengo repulsión por el burgués y
me gusta la vida de la gente intranquila e insatisfecha, sean
estos artistas o criminales.» En cuanto profesión de fe anar-
quista, esta declaración constituye uno de los raros momentos, antes de «España en el corazón», en que la posición política del joven Neruda se articula explícitamente con su escritura literaria, pero al mismo tiempo la asimilación «artistas o criminales» autoriza a proponer una lectura de HYE
como metáfora de la condición del poeta, es decir, como tentativa de autorrepresentación.

   HYE confirma la atención de Neruda hacia el espacio de
la infancia, extendido por nuevas experiencias a otras zonas
del sur de Chile (isla de Chiloé). Esta preocupación espacial
de HYE parece coincidir con el espíritu —entonces vigen-
te— del relato mundonovista (Güiraldes, A. Arguedas, La-
torre, Rivera, Lynch, Gallegos) [23], pero la convergencia no
existe. Por el contrario, la interiorización del mundo narrativo y la voluntad poética del narrador, más el abandono de
toda seriedad edificante o programáticamente regionalista, separan con nitidez a HYE del mundonovismo y, en cambio, sitúan precursoramente a este relato en el proceso de revolución
de la narrativa latinoamericana que desencadenarán los compañeros de generación de Neruda: Asturias, Carpentier, Mare-
chal, Mallea, Manuel Rojas, Borges.

   La figura del narrador-hablante-protagonista encarna un
conflicto entre dos exigencias: el sueño (la disposición ar-
tística) y la acción. El indolente soñador y el cuatrero re-
presentan en HYE las dos caras de la marginalidad del poeta: el sueño tiene que ver con el amor, con la mujer; la acción aparece vinculada a la masculinidad, a la amistad viril,
a la fraternidad en la tarea común. Pero esas caras conviven
mal entre ellas. Todo el relato, en cuanto metáfora fabulada,

---

   [23] En 1926, año de publicación de HYE, aparece también *Don
Segundo Sombra,* de Ricardo Güiraldes.

se refiere en definitiva a una profunda necesidad de integración y a las frustradas tentativas por hacerla posible. Es la narración de un fracaso, de cómo el habitante desemboca en la pérdida de su esperanza. Esto explica la conducta del narrador-protagonista hacia Florencio Rivas, que es su contrapolo en cuanto encarna la acción, la serenidad, el dominio, la desenvoltura, el desafío, pero que, al mismo tiempo, es su alter ego, es el mismo narrador en otra clave, es la figura que el narrador querría ser [24]. Este envidia a Rivas su capacidad de resolver los conflictos con una rápida acción, inclusa la de asesinar a su mujer, pero al propio tiempo lo odia porque con esa acción Rivas, es decir, él mismo, ha asesinado la única posibilidad visible para arreglar cuentas satisfactorias con el gran problema, el del Tiempo. Por eso insiste en la ambigua tentativa de venganza, que da salida al rencor y a la vez equipara al narrador con su enemigo. Por eso el odio en conflicto con la amistad. Y por eso es tan significativo que la venganza no llegue a consumarse, que un misterioso obstáculo se oponga a su realización, y que al final del relato todo el proceso íntimo del narrador aparezca inmóvil, detenido, sin solución a la vista, sin horizonte que lo mueva a partir. Esa es precisamente la situación desde la cual Neruda va a escribir RST [25].

Las prosas que Neruda reúne en ANS *(Anillos)* cubren el período de composición de THI y de HYE (1924-1926). Las primeras arrancan todavía de VPA para internarse en el mundo poético de THI: «El otoño de las enredaderas», «Pro-

---

[24] A fines de 1924 y comienzos de 1925 Neruda ha publicado en *Claridad,* bajo el seudónimo *Lorenzo Rivas,* una serie de poemas que tienden a integrar la escritura literaria con preocupaciones cívicas, nacionales, sociales. El uso del seudónimo (en lugar del *nombre)* parece connotar inseguridad o insuficiencia de convicción, asociables al conflicto entre el narrador y Florencio Rivas en HYE. Ver RIV, 123-124.

[25] Acerca de HYE, cfr. en especial Cortínez 1973, Loyola 1976, Sicard 1977.

vincia de la infancia», «Atardecer», «Primavera de agosto», «Alabanzas del día mejor» e «Imperial del sur» son de 1924-25. En cambio, las prosas finales («Desaparición o muerte de un gato», «T. L.», «Tristeza» y «La querida del alférez», todas de 1926) participan de la atmósfera y del lenguaje de HYE. «Soledad de los pueblos» nos parece una prosa de transición entre ambos grupos.

La imagen autoalusiva del *navío* —todavía barco *prisionero* en el antiguo poema 9 de VPA [26] y después *abandonado* en los muelles de «La canción desesperada»— domina en las primeras prosas de ANS, como en THI. Navío ahora en trance de partir: «Este barco se suelta (...), nunca vuelve este barco roto que huye hacia el sur» («El otoño de las enredaderas»); «atardecer lleno de enamorados, puerto de embarque de los océanos nocturnos (...), jarcias insostenibles, y las grandes presencias de tus arboladuras misteriosas tremulan sobre la cabeza del viajero» («Atardecer»). De VPA a THI el sistema de autorrepresentación del hablante, confirmado en ANS, evoluciona entonces según esta secuencia: navío *prisionero* — navío *abandonado* — *día* — *puerto de embarque* (atardecer) — *navío, barco* «listo para partir» — *océanos nocturnos* — *viajero* (o *caminante*) — *sur*. La amante carcelera del poema 9 de VPA deviene compañera de viaje en el poema 9 de THI (vv. 22-25) y en ANS («Imperial del sur», «Alabanzas del día mejor»).

El navío viaja hacia el *sur*. Durante la travesía se recorta un espacio de autorrepresentación en pretérito: «Provincia de la infancia» es, en efecto, un explícito y orgánico inventario del pasado del hablante. La función de esta prosa no es meramente evocativa: se trata más bien de un movimiento de retroceso para tomar impulso (desde muy temprano la poesía de Neruda nos habituará a estos recurrentes balances que cierran y abren etapas, como nudos o estaciones al inte-

---

[26] Recogido con el título «El prisionero» en RIV, 119. Sustituido desde la edición de 1932 de VPA por otro poema 9 (de estirpe residenciaria).

rior de un sistema de autorrepresentación en movimiento).
El inventario en *pretérito* viene enmarcado por un *presente*
de renovación del yo: «Provincia de la infancia (...), el niño
que encaró la tempestad (...) ahora te sustenta, país húmedo y callado (...), te propongo a mi destino como refugio de
regreso.» El recuento supone así propósito de insistencia y
de tenacidad que se conecta a una nueva visión del *océano*
(cfr. Loyola, 1978a: 66-69), en cuya forma de movilidad el
hablante descubre el modelo supremo para su porfía: «Voluntad misteriosa, insistente multitud del mar, jauría condenada al planeta, algo hay en ti más oscuro que la noche, más
profundo que el tiempo» («Imperial del sur»). Por otro
lado, el sur alcanza en ANS un significado amplio de mundo,
de *afuera* hacia el cual busca abrirse el sujeto lírico. De ahí
que el embarque del viajero aparezca contrapunteado en
«Atardecer» por la inmovilidad residual del prisionero (el
*preso)*: autoconfiguración inserta allí en la alegoría del *circo*
(espectáculo del mundo), también presente en THI.

«Soledad de los pueblos» marca la suspensión del movimiento y el ingreso del hablante en la ambigüedad *acción /
inacción* que caracteriza a HYE. Esta prosa introduce el motivo de la *lluvia* en vínculo con la inacción y, por lo tanto,
en oposición al motivo del *océano,* asociado, en cambio, a la
insistencia activa: «Lluvia (...), compañera de los inacti-
vos (...), destruye el deseo de acción...» El viajero-centinela
de THI deviene centinela-habitante en las prosas finales de
ANS, muy próximas a HYE en lenguaje, en respiración, en
el ambiguo coexistir de abulia y deseos. La autorrepresentación del hablante supone en esas prosas, como en HYE, una
reducción desde las pretensiones del viajero a la inmovilidad
del habitante. Pero tal inmovilidad incluye todavía una esperanza que se expresa en cierta simétrica movilidad del
mundo, del *afuera* representado. Por eso las prosas finales
de ANS insinúan como HYE una escritura narrativa, esbo-
zan anécdotas-personajes, se mueven entre el poema y el
relato. Esta aproximación al mundo parece comportar en la
autoconfiguración del sujeto hablante un cierto grado de

discreción, atenuación, castigo e incluso transparencia, como
buscando una forma de humildad y de neutralización que co-
rresponda a la sencillez oscura, densa y misteriosa de la vida
que esas prosas tienden, por contraste, a subrayar. En ellas
el autorretrato pasa a través del retrato de otros: María Soledad, T. L. (Tomás Lago), Mele, Carmela. Como en HYE,
la amistad asume rango de alternativa o de completación al
amor en cuanto vía de conquista y diseño del yo. La condición vital o estimulante de los personajes supone convergencia de contrarios, oposiciones interiores, ambigüedad: María
Soledad es alegre y triste, diurna y nocturna; T. L. «tiene
el corazón cruzado con un velamen de partida y un ancla de
fondeo» (pero en «Tristeza» Mele es exclusivamente nocturna-
na y por eso su imagen pertenece al pretérito, al recuerdo).
La ambigüedad conlleva la insinuación persistente de la imagen del tablero de ajedrez: «retículos negros y blancos» y «los
cuadros del delantal» definen a María Soledad y a su gato;
T. L. posee un «alma hecha con cuadrados inmóviles»
(cfr. THI, 13: «un cuadrado de tiempo completamente inmóvil»).

También el corazón del alférez (última prosa) «está hecho
de cuadros negros y blancos, tablero de días y noches». La
imagen autoalusiva del *alférez* se corresponde con la del
*cuatrero* de HYE: «él se desmonta del atardecer y boca abajo
permanece callado». Tanto el cuatrero como el alférez proponen hombres de acción incapaces de actuar, abúlicos e inmóviles a pesar suyo. A través de la figura del *alférez* (que
en textos posteriores ascenderá a *capitán*) el yo lírico se autodiseña como principiante en la jerarquía de la acción, en
la misión activa de revelación poética del mundo. Adviértase
la tentativa de reproponer en el alférez una figura positiva
de mayor prestancia que la del cuatrero, pero igualmente
erosionada por una autorrepresentación coexistente de signo
opuesto (el habitante). En este estadio de la diacronía del
hablante la oposición implícita *habitante / alférez* (ANS) da
cuenta —con mayor rigor y precisión que la oposición explícita *habitante / cuatrero* (HYE)— del conflicto que RST
desarrollará como oposición *degradación / profecía*. Por el

momento la contradicción viene emblematizada, justo en la
línea final de ANS, por la imagen de un gallardo alférez que
no actúa ni se pone en vista, que no luce, que tiende más
bien a desaparecer, en silencio y vuelto hacia la tierra: «él
está boca abajo y a veces no se divisa».

*Poema 1*


Cuerpo de mujer, blancas colinas, muslos blancos,
te pareces al mundo en tu actitud de entrega.
Mi cuerpo de labriego salvaje te socava
y hace saltar el hijo del fondo de la tierra.

Fui solo como un túnel. De mí huían los pájaros
y en mí la noche entraba su invasión poderosa.
Para sobrevivirme te forjé como un arma,
como una flecha de mi arco, como una piedra en mi
        honda.

Pero cae la hora de la venganza, y te amo.
Cuerpo de piel, de musgo, de leche ávida y firme.
Ah los vasos del pecho! Ah los ojos de ausencia!
Ah las rosas del pubis! Ah tu voz lenta y triste!

Cuerpo de mujer mía, persistiré en tu gracia.
Mi sed, mi ansia sin límite, mi camino indeciso!
Oscuros cauces donde la sed eterna sigue,
y la fatiga sigue, y el dolor infinito.

[VPA]

## Poema 6

Te recuerdo como eras en el último otoño.
Eras la boina gris y el corazón en calma.
En su ojos peleaban las llamas del crepúsculo.
Y las hojas caían en el agua de tu alma.

Apegada a mis brazos como una enredadera,
las hojas recogían tu voz lenta y en calma.
Hoguera de estupor en que mi sed ardía.
Dulce jacinto azul torcido sobre mi alma.

Siento viajar tus ojos y es distante el otoño:
boina gris, voz de pájaro y corazón de casa
hacia donde emigraban mis profundos anhelos
y caían mis besos alegres como brasas.

Cielo desde un navío. Campo desde los cerros.
Tu recuerdo es de luz, de humo, de estanque en calma!
Más allá de tus ojos ardían los crepúsculos.
Hojas secas de otoño giraban en tu alma.

[VPA]

Poema 7


Inclinado en las tardes tiro mis tristes redes
a tus ojos oceánicos.

Allí se estira y arde en la más alta hoguera
mi soledad que da vueltas los brazos como un náufrago.

Hago rojas señales sobre tus ojos ausentes
que olean como el mar a la orilla de un faro.

Sólo guardas tinieblas, hembra distante y mía,
de tu mirada emerge a veces la costa del espanto.

Inclinado en las tardes echo mis tristes redes
a ese mar que sacude tus ojos oceánicos.

Los pájaros nocturnos picotean las primeras estrellas
que centellean como mi alma cuando te amo.

Galopa la noche en su yegua sombría
desparramando espigas azules sobre el campo.

[VPA]


Poema 8


Abeja blanca zumbas —ebria de miel— en mi alma
y te tuerces en lentas espirales de humo.

Soy el desesperado, la palabra sin ecos,
el que lo perdió todo, y el que todo lo tuvo.

Ultima amarra, cruje en ti mi ansiedad última.
En mi tierra desierta eres la última rosa.

Ah silenciosa!

Cierra tus ojos profundos. Allí aletea la noche.
Ah desnuda tu cuerpo de estatua temerosa.

Tienes ojos profundos donde la noche alea.
Frescos brazos de flor y regazo de rosa.

Se parecen tus senos a los caracoles blancos.
Ha venido a dormirse en tu vientre una mariposa de
          sombra.

Ah silenciosa!

He aquí la soledad de donde estás ausente.
Llueve. El viento del mar caza errantes gaviotas.

El agua anda descalza por las calles mojadas.
De aquel árbol se quejan, como enfermos, las hojas.

Abeja blanca, ausente, aún zumbas en mi alma.
Revives en el tiempo, delgada y silenciosa.

Ah silenciosa!

                                                              [VPA]


*Poema 15*


Me gustas cuando callas porque estás como ausente,
y me oyes desde lejos, y mi voz no te toca.
Parece que los ojos se te hubieran volado
y parece que un beso te cerrara la boca.

Como todas las cosas están llenas de mi alma
emerges de las cosas, llena del alma mía.
Mariposa de sueño, te pareces a mi alma,
y te pareces a la palabra melancolía.

Me gustas cuando callas y estás como distante.
Y estás como quejándote, mariposa en arrullo.
Y me oyes desde lejos, y mi voz no te alcanza:
déjame que me calle con el silencio tuyo.

Déjame que te hable también con tu silencio
claro como una lámpara, simple como un anillo.
Eres como la noche, callada y constelada.
Tu silencio es de estrella, tan lejano y sencillo.

Me gustas cuando callas porque estás como ausente.
Distante y dolorosa como si hubieras muerto.
Una palabra entonces, una sonrisa bastan.
Y estoy alegre, alegre de que no sea cierto.

                                                            [VPA]

## Poema 18

Aquí te amo.
En los oscuros pinos se desenreda el viento.
Fosforece la luna sobre las aguas errantes.
Andan días iguales persiguiéndose.

Se desciñe la niebla en danzantes figuras.
Una gaviota de plata se descuelga del ocaso.
A veces una vela. Altas, altas estrellas.

O la cruz negra de un barco.
Solo.
A veces amanezco, y hasta mi alma está húmeda.
Suena, resuena el mar lejano.
Este es un puerto.
Aquí te amo.

Aquí te amo y en vano te oculta el horizonte.
Te estoy amando aún entre estas frías cosas.
A veces van mis besos en esos barcos graves,
que corren por el mar hacia donde no llegan.

Ya me veo olvidado como estas viejas anclas.
Son más tristes los muelles cuando atraca la tarde.
Se fatiga mi vida inútilmente hambrienta.
Amo lo que no tengo. Estás tú tan distante.

Mi hastío forcejea con los lentos crepúsculos.
Pero la noche llega y comienza a cantarme.
La luna hace girar su rodaje de sueño.

Me miran con tus ojos las estrellas más grandes.
Y como yo te amo, los pinos en el viento,
quieren cantar tu nombre con sus hojas de alambre.

[VPA]

## Poema 20

Puedo escribir los versos más tristes esta noche.

Escribir, por ejemplo: «La noche está estrellada,
y tiritan, azules, los astros, a lo lejos.»

El viento de la noche gira en el cielo y canta.

Puedo escribir los versos más tristes esta noche.
Yo la quise, y a veces ella también me quiso.

En las noches como ésta la tuve entre mis brazos.
La besé tantas veces bajo el cielo infinito.

Ella me quiso, a veces yo también la quería.
Cómo no haber amado sus grandes ojos fijos.

Puedo escribir los versos más tristes esta noche.
Pensar que no la tengo. Sentir que la he perdido.

Oír la noche inmensa, más inmensa sin ella.
Y el verso cae al alma como al pasto el rocío.

Qué importa que mi amor no pudiera guardarla.
La noche está estrellada y ella no está conmigo.

Eso es todo. A lo lejos alguien canta. A lo lejos.
Mi alma no se contenta con haberla perdido.

Como para acercarla mi mirada la busca.
Mi corazón la busca, y ella no está conmigo.

La misma noche que hace blanquear los mismos árboles.
Nosotros, los de entonces, ya no somos los mismos.

Ya no la quiero, es cierto, pero cuánto la quise.
Mi voz buscaba el viento para tocar su oído.

De otro. Será de otro. Como antes de mis besos.
Su voz, su cuerpo claro. Sus ojos infinitos.

Ya no la quiero, es cierto, pero tal vez la quiero.
Es tan corto el amor, y es tan largo el olvido.

Porque en noches como ésta la tuve entre mis brazos,
mi alma no se contenta con haberla perdido.

Aunque éste sea el último dolor que ella me causa,
y éstos sean los últimos versos que yo le escribo.

                                                    [VPA]


*La canción desesperada*


Emerge tu recuerdo de la noche en que estoy.
El río anuda al mar su lamento obstinado.

Abandonado como los muelles en el alba.
Es la hora de partir, oh abandonado!

Sobre mi corazón llueven frías corolas.
Oh sentina de escombros, feroz cueva de náufragos!

En ti se acumularon las guerras y los vuelos.
De ti alzaron las alas los pájaros del canto.

Todo te lo tragaste, como la lejanía.
Como el mar, como el tiempo. Todo en ti fue naufragio!

Era la alegre hora del asalto y el beso.
La hora del estupor que ardía como un faro.

Ansiedad de piloto, furia de buzo ciego,
turbia embriaguez de amor, todo en ti fue naufragio!

En la infancia de niebla mi alma alada y herida.
Descubridor perdido, todo en ti fue naufragio!

Te ceñiste al dolor, te agarraste al deseo.
Te tumbó la tristeza, todo en ti fue naufragio!

Hice retroceder la muralla de sombra,
anduve más allá del deseo y del acto.

Oh carne, carne mía, mujer que amé y perdí,
a ti en esta hora húmeda, evoco y hago canto.

Como un vaso albergaste la infinita ternura,
y el infinito olvido te trizó como a un vaso.

Era la negra, negra soledad de las islas,
y allí, mujer de amor, me acogieron tus brazos.

Era la sed y el hambre, y tú fuiste la fruta.
Era el duelo y las ruinas, y tú fuiste el milagro.

Ah mujer, no sé cómo pudiste contenerme
en la tierra de tu alma, y en la cruz de tus brazos!

Mi deseo de ti fue el más terrible y corto,
el más revuelto y ebrio, el más tirante y ávido.

Cementerio de besos, aún hay fuego en tus tumbas,
aún los racimos arden picoteados de pájaros.

Oh la boca mordida, oh los besados miembros,
oh los hambrientos dientes, oh los cuerpos trenzados.

Oh la cópula loca de esperanza y esfuerzo
en que nos anudamos y nos desesperamos.

Y la ternura, leve como el agua y la harina.
Y la palabra apenas comenzada en los labios.

Ese fue mi destino y en él viajó mi anhelo,
y en él cayó mi anhelo, todo en ti fue naufragio!

Oh sentina de escombros, en ti todo caía,
qué dolor no exprimiste, qué olas no te ahogaron.

De tumbo en tumbo aún llameaste y cantaste
de pie como un marino en la proa de un barco.

Aún floreciste en cantos, aún rompiste en corrientes.
Oh sentina de escombros, pozo abierto y amargo.

Pálido buzo ciego, desventurado hondero,
descubridor perdido, todo en ti fue naufragio!

Es la hora de partir, la dura y fría hora
que la noche sujeta a todo horario.

El cinturón ruidoso del mar ciñe la costa.
Surgen frías estrellas, emigran negros pájaros.

Abandonado como los muelles en el alba.
Sólo la sombra trémula se retuerce en mis manos.

Ah más allá de todo. Ah más allá de todo.

Es la hora de partir. Oh abandonado!

                                                    [VPA]

[*no sé hacer el canto de los días*]


no sé hacer el canto de los días
sin querer suelto el canto la alabanza de las noches
pasó el viento latigándome la espalda alegre saliendo de su
          huevo
descienden las estrellas a beber al océano
tuercen sus velas verdes grandes buques de brasa
para qué decir eso tan pequeño que escondes canta
          pequeño
los planetas dan vueltas como husos entusiastas giran
el corazón del mundo se repliega y se estira
con voluntad de columna y fría furia de plumas
oh los silencios campesinos claveteados de estrellas
recuerdo los ojos caían en ese pozo inverso
hacia dónde ascendía la soledad de todos los ruidos
          espantados
el descuido de las bestias durmiendo sus duros lirios
preñé entonces la altura de mariposas negras mariposa
          medusa
aparecían estrépitos humedad nieblas
y vuelto a la pared escribí
oh noche huracán muerto resbala tu oscura lava
mis alegrías muerden tus tintas
mi alegre canto de hombre chupa tus duras mamas
mi corazón de hombre se trepa por tus alambres
exasperado contengo mi corazón que danza
danza en los vientos que limpian tu color
bailador asombrado en las grandes mareas que hacen surgir
          el alba

                                                       [*THI*]

[*al lado de mí mismo señorita enamorada*]


al lado de mí mismo señorita enamorada
quién sino tú como el alambre ebrio es una canción sin
        título
ah triste mía la sonrisa se extiende como una mariposa
        en tu rostro
y por ti mi hermana no viste de negro


yo soy el que deshoja nombres y altas constelaciones de
        rocío
en la noche de paredes azules altas sobre tu frente
para alabarte a ti palabra de alas puras
el que rompió su suerte siempre donde no estuvo
por ejemplo es la noche rodando entre cruces de plata
que fue tu primer beso para qué recordarlo
yo te puse extendida delante del silencio
tierra mía los pájaros de mi sed te protegen
y te beso la boca mojada con crepúsculo
es más allá más alto
para significarte criaría una espiga
corazón distraído torcido hacia una llaga
atajas el color de la noche y libertas a los prisioneros
ah para qué alargaron la tierra
del lado en que te miro y no estás niña mía
entre sombra y sombra destino de naufragio
nada tengo oh soledad


sin embargo eres la luz distante que ilumina las frutas
y moriremos juntos
pensar que estás ahí navío blanco listo para partir
y que tenemos juntas las manos en la proa navío siempre
        en viaje

                                                        [THI]

[*ésta es mi casa*]


ésta es mi casa
aún la perfuman los bosques
desde donde la acarreaban
allí tricé mi corazón como el espejo para andar a través
          de mí mismo
ésa es la alta ventana y ahí quedan las puertas
de quién fue el hacha que rompió los troncos
tal vez el viento colgó de las vigas
su peso profundo olvidándolo entonces
era cuando la noche bailaba entre sus redes
cuando el niño despertó sollozando
yo no cuento yo digo en palabras desgraciadas
aún los andamios dividen el crepúsculo
y detrás de los vidrios la luz del petróleo
era para mirar hacia el cielo
caía la lluvia en pétalos de vidrio
ahí seguiste el camino que iba a la tempestad
como las altas insistencias del mar
aíslan las piedras duras de las orillas del aire
qué quisiste qué ponías como muriendo muchas veces
todas las cosas suben a un gran silencio
y él se desesperaba inclinado en su borde
sostenías una flor dolorosa
entre sus pétalos giraban los días margaritas de pilotos
          decaídos
decaído desocupado revolviste de la sombra
el metal de las últimas distancias o esperabas el turno
amaneció sin embargo en los relojes de la tierra
de pronto los días trepan a los años
he aquí tu corazón andando estás cansado sosteniéndote
a tu lado se despiden los pájaros de la estación ausente

                                                        [*THI*]

[*admitiendo el cielo*]


admitiendo el cielo profundamente mirando el cielo estoy
       pensando
con inseguridad sentado en ese borde
oh cielo tejido con aguas y papeles
comencé a hablarme en voz baja decidido a no salir
arrastrado por la respiración de mis raíces
inmóvil navío ávido de esas leguas azules
temblabas y los peces comenzaron a seguirte
tirabas a cantar con grandeza ese instante de sed querías
      cantar
querías cantar sentado en tu habitación ese día
pero el aire estaba frío en tu corazón como en una cam-
      pana
un cordel delirante iba a romper tu frío
se me durmió una pierna en esa posición y hablé con ella
cantándole mi alma me pertenece
el cielo era una gota que sonaba cayendo en la gran soledad
pongo el oído y el tiempo como un eucaliptus
frenéticamente canta de lado a lado
en el que estuviera silbando un ladrón
ay y en el límite me paré caballo de las barrancas
sobresaltado ansioso inmóvil sin orinar
en ese instante lo juro oh atardecer que llegas pescador
      satisfecho
tu canasto vivo en la debilidad del cielo

[*THI*]

[*el mes de junio se extendió de repente*]


el mes de junio se extendió de repente en el tiempo con
          seriedad y exactitud
como un caballo y en el relámpago crucé la orilla
ay el crujir del aire pacífico era muy grande
los cinematógrafos desocupados el color de los cementerios
los buques destruidos las tristezas
encima de los follajes
encima de las astas de las vacas la noche tirante su trapo
          bailando
el movimiento rápido del día igual al de las manos que
          detienen un vehículo
yo asustado comía
oh lluvia que creces como las plantas oh victrolas ensi-
          mismadas
personas de corazón voluntarioso todo lo celebré
en un tren de satisfacciones desde donde mi retrato
tiene detrás el mundo que describo con pasión
los árboles interesantes como periódicos los caseríos los
          rieles
ay el lugar decaído en que el arco iris
deja su pollera enredada al huir
todo como los poetas los filósofos las parejas que se aman
ya lo comienzo a celebrar entusiasta sencillo
yo tengo la alegría de los panaderos contentos y entonces
amanecía débilmente con un color de violín
con un sonido de campana con el olor de la larga distancia


                                                      [*THI*]

[*Entonces cuando ya cae la tarde*]


Entonces cuando ya cae la tarde y el rumor del mar alimenta su dura distancia, contento de mi libertad y de mi vida, atravieso las desiertas calles siguiendo un camino que conozco mucho.

En su cuarto estoy comiéndome una manzana cuando aparece frente a mí, el olor de los jazmines que aprieta con el pecho y las manos, se sumerge en nuestro abrazo. Miro, miro sus ojos debajo de mi boca, llenos de lágrimas, pesadas. Me aparto hacia el balcón comiendo mi manzana, callado, mientras que ella se tiende un poco en la cama echando hacia arriba el rostro humedecido. Por la ventana el anochecer cruza como un fraile, vestido de negro, que se parará frente a nosotros lúgubremente. El anochecer es igual en todas partes, frente al corazón del hombre que se acongoja, vacila su trapo y se arrolla a las piernas como vela vencida, temerosa. Ay, del que no sabe qué camino tomar, del mar o de la selva, ay, del que regresa y encuentra dividido su terreno, en esa hora débil, en que nadie puede retractarse, porque las condenas del tiempo son iguales e infinitas, caídas sobre la vacilación o las angustias.

Entonces nos acercamos conjurando el maleficio, cerrando los ojos como para oscurecernos por completo, pero alcanzo a divisar por el ojo derecho sus trenzas amarillas, largas entre las almohadas. Yo la beso con reconciliación, con temor de que se muera; los besos se aprietan como culebras, se tocan con levedad muy diáfana, son besos profundos y blandos, o se alcanzan los dientes que suenan como metales, o se sumergen las dos grandes bocas temblando como desgraciados.

Te contaré día a día mi infancia, te contaré cantando mis solitarios días de liceo, oh, no importa, hemos estado ausentes, pero te hablaré de lo que he hecho y de lo que he deseado hacer y de cómo viví sin tranquilidad en el hotel de Mauricio.

Ella está sentada a mis pies en el balcón, nos levantamos, la dejo, ando, silbando me paseo a grandes trancos por su pieza y encendemos la lámpara, comemos sin hablarnos mucho, ella frente a mí, tocándonos los pies.

Más tarde, la beso y nos miramos con silencio, ávidos, resueltos, pero la dejo sentada en la cama. Y vuelvo a pasear por el cuarto, abajo y arriba, arriba y abajo, y la vuelvo a besar pero la dejo. La muerdo en el brazo blanco, pero me aparto.

[*HYE*]

[*El doce de marzo*]

El doce de marzo, estando yo durmiendo, golpea en mi puerta Florencio Rivas. Yo conozco, yo conozco algo de lo que quieres hablarme, Florencio, pero espérate, somos viejos amigos. Se sienta junto a la lámpara, frente a mí y mientras me visto lo miro a veces, notando su tranquila preocupación. Florencio Rivas es hombre tranquilo y duro y su carácter es leal y de improviso.

Mi compadre de mesas de juego y asuntos de animales perdidos, es blanco de piel, azul de ojos, y en el azul de ellos, gotas de indiferencia. Tiene la nariz ladeada y su mano derecha contra la frente y en la pared su silueta negra, sentada. Me deja hacer, con mi lentitud y al salir me pide mi poncho de lana gruesa.

—Es para un viaje largo, niño.

Pero él que está tranquilo esta noche mató a su mujer, Irene. Yo lo tengo escrito en los zapatos que me voy poniendo, en mi chaqueta blanca de campero, lo leo escrito en la pared, en el techo. El no me ha dicho nada, él me ayuda a ensillar mi caballo, él se adelanta al trote, él no me dice nada. Y luego galopamos, galopamos fuertemente a través de la costa solitaria, y el ruido de los cascos hace tas tas, tas tas, así hace entre las malezas aproximadas a la orilla y se golpea contra las piedras playeras.

Mi corazón está lleno de preguntas y de valor, compañero Florencio. Irene es más mía que tuya y hablaremos: pero galopamos, galopamos, sin hablarnos, juntos y mirando hacia adelante, porque la noche es oscura y llena de frío.

Pero esta puerta la conozco, es claro, y la empujo y sé quién me espera detrás de ella, sé quién me espera, ven tú también, Florencio.

Pero ya está lejos y las pisadas de su caballo corren profundamente en la soledad nocturna: él ya va arrancando por los caminos de Cantalao hasta perderse de nombre, hasta alejarse sin regreso.

[*HYE*]

[*Voy a decir con sinceridad mi caso*]

Voy a decir con sinceridad mi caso: lo he explicado sin claridad porque yo mismo no lo comprendo. Todo sucede dentro de uno con movimientos y colores confusos, sin distinguirse. Mi única idea ha sido vengarme.

Han sido largos días en que esta idea comienza a despertar, a apartarse de las otras, viniendo, reviniendo como cosa natural e inapartable. Y allí, en el círculo elegido del blanco se clava de repente calladamente la determinación.

Mi hombre contra nada huye o está lejos. Conozco todos los paraderos de Florencio, los nombres, las profesiones, las ciudades y los campos en que cruzó el paso de mi antiguo camarada. El ataque lo he meditado detalle por detalle, volviéndome loco de noche, revolcando esa acción desesperada que debe libertar mi espíritu Como un tremendo obstáculo en un camino necesario ese acto se ha puesto en mi existencia, y ese tiempo de desorientación y de fatiga sólo hace no más que aislarlo.

Frente a frente a un individuo odiado desde las raíces del ser, hablar con voz callada el padecimiento, y descifrar con lentitud la condena, no enumerar los dolores, las angustias del tiempo forzado, para que ellos no crezcan y debiliten la voluntad de obrar, estar atentos y seguros al momento en que la bala rompa el pecho del otro, y de los dos aventureros que fuimos, quedarse muerto uno allí mismo, sobre las tablas de una casa vacía, en el campo, en la ciudad, en los puertos, tenderlo muerto allí mismo por una inmediata voluntad humana.

Y que ese gran cumplimiento vaya a ser el mío, que esa gran seguridad tenga que ser mi alimentación de pesares tragados con continuidad que sólo yo conozco y sea yo también una vez llegado el término, el dueño de mi parte de libertades.

Entonces de la noche que palpita encima de mi lecho se cae deshaciéndose una campanada: son iguales en toda la tierra las vigilias. Es extraño, ayer cuando subía la escala a oscuras, crujió muchas veces, y recibí de repente la sensación del olor del mar. Tendré cuidado. La distancia del mar es opresora, invade, subí los escalones pensando en ella, y la manera de medirla poniendo mi cuerpo en su orilla alargándolo hasta palidecer.

Ay de mí, ay del hombre que puede quedarse solo con sus fantasmas.

[*HYE*]


[*Os debo contar mi aventura*]


Os debo contar mi aventura, a vosotros los que por completo conocéis el secreto de las noches y os alimentáis de ese misterio, a vosotros los desinteresados vigilantes que tenéis los ojos abiertos en la puerta de los túneles, allí donde una luz roja parpadea el peligro, y gusanos de luz verde cruzan su vientre, a vosotros los que conocéis el destino de la vigilia y que en el mar, en el desierto, en el destierro, veis nacer y crecer las grandes mariposas de alas de trapo que brotan del sueño incompartible, a vosotros los pescadores, poetas, panaderos, guardianes de faro, y a los que demasiado celosos por guardar una inquietud, conocen el riesgo de haber estado una sola vez siquiera frente a lo indescifrable.

También de noche he entrado titubeando en la casa del buscado, con el frío del arma en la mano, y con el corazón lleno de amargas olas. Es de noche, crujen los escalones, cruje la casa entera bajo las pisadas del homicida que son muy leves y muy ligeras sin embargo, y en la oscuridad negra que se desprende de todas las cosas, mi corazón latía fuertemente. También he entrado en la habitación del encontrado, allí las tinieblas ya habían bajado hasta sus ojos, su sueño era seguro porque él también conoce lo inexistente: mi antiguo compañero roncaba a tropezones, y sus ojos los cerraba fuertemente, con fuerza de hombre sabio, como para guardar su sueño siempre. Entonces, qué hace entonces ese pálido fantasma al cual algo de acero le brilla en la mano levantada?

Estaba durmiendo, soñaba que en el gran desierto confundido de arenas y de nombres, nacía una escalera pegándose del suelo al cielo, y él al subir sentía su alma confundida. Quién eres tú, ladrona, que acurrucada entre los peldaños coses silenciosamente y con una sola mano? Todo es del mismo color, un gris de fría noche de otoño, todo tiene el color de viejos metales gastados, y también del tiempo. He aquí que de repente la vieja ladrona se para ante Florencio. Es una equivocación, cómo podía ser tan grande? Su voz sale con ruido de olas de su única mano, pero no se podía entender su lenguaje. Me engañaba, todo era color de naranja, todo era como una sola fruta, cuya luz misteriosa no podía madurar, y ante ese silencio no se podía comprender nada. Qué bucábamos allí? Sin duda no veníamos por ningún instrumento olvidado, y repito que este color es muy extraño, como si allí se amontonasen millones de cáscaras cárdenas.

Las bestias retrocedían sueltas hasta encontrar su salida. El temor me hacía arrancar a mí también parándome al borde de la corriente de aquella avenida. Hay detrás de todo esto también una mujer durmiendo, él la recuerda sin concisión. De toda esa zozobra emergen destellos que quisieran precisar su forma. Bueno, está tendida de lado, y los peces se amontonan queriendo sorprender su mirada, pero ella es demasiado dulce y pálida para poder mirar. No mira, sus ojos están fatigados; sus manos también están fatigadas, solamente querían crecer. Quién podría decir hasta dónde iban a llegar? He sentido su frío sobre mi frente, su frío de riel mojado por el rocío de la noche, o también de violetas mojadas. El prado de las violetas es inmenso, subsiste a pesar de la lluvia, todo el año los árboles de las violetas están creciendo y se hunden bajo mis pies como coles. Esa es la verdad. Pero es imposible en-

contrar nada en esa región, las violetas rotas se componen
con rapidez, crecen detrás de nosotros, y a nuestro alrededor sólo existe este pesado muro, espeso, blando, verde,
azul. Entonces tomé el hacha de mi compañera, pero algo
extraño observé que pasaba, era mi hacha leñera la que
mis árboles habían robado, y vi su luz de acero temblando
fríamente sobre mi cabeza. Tendré cuidado. Será necesario traerla amarrada a mis tobillos, y ella gritará, os lo
aseguro, aullará lúgubremente como un perro.

Yo he estado solo a solo, durmiendo el hombre que
debo matar, os lo aseguro, pero entre mi mano levantada
con el arma brillando, se ha interpuesto su sueño como
una pared. Lo juro, muchas veces bajé el arma contra ese
material impenetrable, su densidad sujetaba mi mano, y
yo mismo, en la solitaria vivienda en que yo tampoco estaba, yo también me puse a soñar.

Ahora estoy acodado frente a la ventana, y una gran
tristeza empaña los vidrios. Qué es esto? Dónde estuve?
He aquí que de esta casa silenciosa brota también el olor
del mar, como saliendo de una gran valva oceánica, y donde estoy inmóvil. Es hora, porque la soledad comienza a
poblarse de monstruos: la noche titila en una punta con
colores caídos, desiertos, y el alba saca llorando los ojos
del agua.

[HYE]

## Provincia de la infancia

Provincia de la infancia, desde el balcón romántico te
extiendo como un abanico. Lo mismo que antes abandonado por las calles, examino las calles abandonadas. Pe-

queña ciudad que forjé a fuerza de sueños resurges de tu inmóvil existencia. Grandes trancos pausados a la orilla del musgo, pisando tierras y yerbas, pasión de la infancia revives cada vez. Corazón mío ovillado bajo este cielo recién pintado, tú fuiste el único capaz de lanzar las piedras que hacen huir la noche. Así te hiciste, trabajado de soledad, herido de congoja, andando, andando por pueblos desolados. Para qué hablar de viejas cosas, para qué vestir ropajes de olvido. Sin embargo, grande y oscura es tu sombra, provincia de mi infancia. Grande y oscura, tu sombra de aldea, besada por la fría travesía desteñida, por el viento del norte. También tus días de sol, incalculables, delicados, cuando de entre la humedad emerge el tiempo vacilando como una espiga. Ah, pavoroso invierno de las crecidas, cuando la madre y yo temblábamos en el viento frenético. Lluvia caída de todas partes, oh triste prodigadora inagotable. Aullaban, lloraban los trenes perdidos en el bosque. Crujía la casa de tablas acorraladas por la noche. El viento a caballazos saltaba las ventanas, tumbaba los cercos: desesperado, violento, desertaba hacia el mar. Pero qué noches puras, hojas del buen tiempo, sombrío cielo engastado en estrellas excelentes. Yo fui el enamorado, el que de la mano llevó a la señorita de grandes ojos a través de lentas veredas, en crepúsculo, en mañanas sin olvido. Cómo no recordar tanta palabra pasada. Besos desvanecidos, flores flotantes, a pesar de que todo termina. El niño que encaró la tempestad y crió debajo de sus alas amargas la boca, ahora te sustenta, país húmedo y callado, como a un gran árbol después de la tormenta. Provincia de la infancia deslizada de horas secretas, que nadie conoció. Región de soledad, acostado sobre unos andamios mojados por la lluvia reciente, te propongo a mi destino como refugio de regreso.

[ANS]

*Imperial del sur*

Las resonancias del mar atajan contra la hoja del cielo; fulgurece de pronto la espalda verde; revienta en violentos abanicos; se retira, recomienza; campanas de olas azules despliegan y acosan la costa solitaria; la gimnasia del mar desespera el sentido de los pájaros en viaje y amedrenta el corazón de las mujeres. Oh mar océano, vacilación de aguas sombrías, ida y regreso de los movimientos incalculables, el viajero se para en tu orilla de piedra destruyéndote, y levanta su sangre hasta tu sensación infinita!

El está tendido al lado de tu espectáculo, y tus sales y sus transparencias alzan encima de su frente: tus coros cruzan la anchura de sus ojos, tu soledad le golpea el corazón y adentro de él tus llamamientos se sacuden como los peces desesperados en la red que levantan los pescadores.

El día brillante como un arma ondula sobre el movimiento del mar, en la península de arena saltan y resaltan los juegos del agua, grandes cordeles se arrastran amontonándose, refulgen de pronto sus húmedas etincelias y chapotea la última ola, alcanzándose a sí misma.

Voluntad misteriosa, insistente multitud del mar, jauría condenada al planeta, algo hay en ti más oscuro que la noche, más profundo que el tiempo. Acosas los amarillos días, las tardes de aire, estrellas contra los largos inviernos de la costa, fatigas entre acantilados y bahías, golpeas tu locura de aguas contra la orilla infranqueable, oh mar océano de los inmensos vientos verdes y la ruidosa vastedad.

El puerto está apilado en la bahía salpicado de techumbres rojas, interceptado por sitios sin casas, y mi amiga y yo desde lejos lo miramos adornado con su cintura de nubes blancas y pegado al agua marina que empuja la marea.

Trechos de pinos y en el fondo los contrafuertes de montañas; refulge la amorosa pureza del aire; por encima del río cruzan gaviotas de espuma, mi amiga me las muestra cada vez y veo el recinto del agua azul y los viejos muelles extendiéndose detrás de su mano abierta.

Ella y yo estamos en la cubierta de los pequeños barcos, se estrella el viento frío contra nosotros, una voz de mujer se pega a la tristeza de los acordeones; el río es ancho de colores de plata, y las márgenes se doblan de malezas floridas, donde comunican los lomajes del Sur. Atrae el cauce profundo, callado; la tarde asombra de resonancias, de orilla a orilla por la línea del agua que camina, atraviesa el pensamiento del viajero. Los barbechos brillan secamente al último sol; atracada a favor del cantil sombrío una lancha velera sonríe con sus dos llamas blancas; de pronto surgen casas aisladas en las orillas, atardece grandemente, y cruzan sobre la proa los gritos de los tricaos de agorería.

Muelles de Carahue, donde amarran las gruesas espigas y desembarcan los viajeros: cuánto y cuánto conozco tus tablones deshechos, recuerdo días de infancia a la sombra del maderamen mojado, donde lame y revuelve el agua verde y negra.

Cuando ella y yo nos escondemos en el tren de regreso, aún llaman los viejos días algo, sin embargo del corazón duro que cree haberlos dejado atrás.

[*ANS*]


## La querida del alférez

Tan vestidos de negro los ojos de Carmela (Hotel Welcome, frente a la prefectura) fulguran en las armas del alférez. El se desmonta del atardecer y boca abajo permanece callado. Su corazón está hecho de cuadros negros y blancos, tablero de días y noches. Saldré alguna vez de esto, cantan los trenes del norte, del sur y los ramales. El viento llena de pájaros y de hojas, los alambres, las avenidas del pueblo.

Para reconocerla a ella (Hotel Welcome, a la izquierda en el corredor) basta la abeja colorada que tiene en la boca. Un invierno de vidrios mojados, su pálido abanico.

Hay algo que perder detrás del obstáculo de cada día. Una sortija, un pensamiento, algo se pierde. Por enfermedad tenía ese amor silencioso.

Apariciones desoladas, los pianos y las tejas dejan caer el agua del invierno de la casa del frente. El espejo la llamaba en las mañanas sin embargo. El alba empuja a su paisaje indeciso. Ella está levantándose al borde del espejo, arreglando sus recuerdos. Conozco una mujer triste en este continente, de su corazón emigran pájaros, el invierno, la fría noche. (Hotel Welcome, es una casa de ladrillos.)

Ella es una mancha negra a la orilla del alférez. Lo demás son su frente pálida, una rosa en el velador. El está boca abajo y a veces no se divisa.

*[ANS]*

# III

## 1926-1935

«Galope muerto» hace posible una primera madurez del autorretrato. Hay poemas de RST-I *(Residencia en la tierra-I)*, compuestos por Neruda antes de dejar Chile (y anteriores a «Galope muerto»: *Claridad,* agosto 1926), que se inscriben todavía en el ámbito poético de THI: son «Serenata», «Madrigal escrito en invierno» y con toda probabilidad «Alianza (Sonata)». Define aún a estos poemas su propensión nocturna, su acuerdo con la declaración «no sé hacer el canto de los días / sin querer suelto el canto la alabanza de las noches» (THI, 6: 1-2). «Galope muerto» inaugura entonces RST, no sólo en la final disposición de los textos sino también en el establecimiento de una atmósfera poética diversa, señalada precisamente por la aceptación —y más aún por la difícil *afirmación*— del Día. Y no para reencontrar el espacio de la luz y de la claridad (como antes de VPA), sino porque el Día, con su ambigüedad y su tristeza, es el espacio de la Realidad, de la Vida. Residir en la Tierra es, ante todo, residir en el Día. «Galope muerto» marca el momento en que el hablante, nutrido sí por la Noche, resuelve abandonar el privilegio del recinto nocturno y asumir su verdadero amor, así como éste es, con su ambiguo «rostro inaceptable». En este duro paso, en este extremo riesgo el yo nerudiano se reconoce finalmente, se acepta, y es por ello que RST significa una etapa de real madurez en el decurso del sistema de autorrepresentación. Dos cartas, escritas en Rangún a mediados de 1928, subrayan desde afuera la convergencia. «Pero, verdaderamente —escribe Neruda a Héctor Eandi—, no se halla usted rodeado de destrucciones, de muertes, de cosas aniquiladas? En su trabajo, no se siente usted obstruido por dificultades e imposibilidades? Verdad que sí? Bueno, yo he decidido formar mi fuerza *en este peligro,* sacar provecho de esta lucha, utilizar estas debilidades. Sí, ese momento depresivo, funesto para muchos, es una noble materia para mí.» Por otro lado, en carta a González Vera, el poeta manifiesta conciencia y orgullo de haber logrado un importante salto de cualidad en su lenguaje: «Mis escasos trabajos últimos, desde hace un año, han alcanzado gran perfección (o imperfección), pero dentro de lo ambicionado. Es decir, he pasado un límite literario que nunca creí capaz de sobrepasar, y en verdad mis resultados me sorprenden y me consuelan [27].»

El poeta se siente por fin en la ruta tanto buscada. Esta satisfacción, dolorosa desde otro ángulo, se textualiza en RST-I como complacencia en la autorrepresentación (que, bajo formas particularmente directas y sin pudor, inunda el volumen): véanse desde esta perspectiva, además de «Galope muerto», los poemas «Caballo de los sueños», «Débil del alba», «Unidad» y «Sabor», probablemente escritos en 1927 (¿todavía en Chile?); también «Diurno doliente», «Arte poética», «Sistema sombrío» y «Sonata y destrucciones», todos pertenecientes a la primera sección de RST-I; y agregando en este mismo nivel los tres poemas que cierran el volumen: «Cantares», «Trabajo frío» y «Significa sombras». Todos estos textos admiten ser leídos como directas variaciones sobre el modelo de autorrepresentación propuesto germinalmente en «Galope muerto»: una figura

---

[27] Cartas citadas en Rodríguez Monegal 1966: 62-63, y en Loyola 1967: 84-85.

del yo que se diseña o recorta, no contra un escenario —un *afuera*— circunscrito (el del *sur*), sino contra un escenario tentativamente *esencial,* contra una sustantivación *destilada* del entorno, de lo real. Desde «Galope muerto» el yo renuncia al modo de seguridad que le otorga el sistema *viajero* *-noche-sur* y con ello abandona también la inmovilidad del habitante. La nueva aventura, la nueva tentativa hacia el autorretrato supone la aceptación-afirmación, no sólo del Día sino también del Movimiento (acumulación, aumento, circulación, desarrollo, crecimiento, transcurso, etc.), en suma, de «aquello todo tan rápido, tan viviente, / inmóvil sin embargo». El nivel *esencial* pretendido por el hablante para estas tentativas de autorrepresentación no excluye un tipo (también nuevo, diverso) de nivel *circunstancial* que ofrecen otros textos de RST-I, en los que el yo emerge desde una particular circunstancia, situación o anécdota: así «Caballero solo», «Tango del viudo», las *prosas* de la sección segunda: «La noche del soldado», «El deshabitado», «El joven monarca»[28], y los casos especiales de «Juntos nosotros» y «Ritual de mis piernas» (atentos a la dimensión física del hablante).

Desde el título mismo RST establece una estructura autorrepresentativa fundada en la afirmación apasionada, diríamos erótica, de un *afuera,* de un *no-yo.* En los títulos de THI y de HYE el acento de la aventura y de la revelación recae aún sobre la figura misma del hablante: el *hombre infinito,* el *habitante.* En cambio, *residencia* (y no *residente)* implica una instalación en el mundo, una asunción minuciosa e inventariada de lo real (de cosas, seres, objetos), sin esperanza, sin desesperación: sólo una angustia extrema que se niega al desamor. Por eso la retórica del autodiseño del hablante incluye, en RST-I, la recurrencia de un rasgo de alienación y dependencia, similar a la fervorosa porfía de un amante tenazmente rechazado («mis criaturas nacen de un largo rechazo»). Esta constante retórica, que llamaremos cons-

---

[28] La escritura en prosa, siempre significativa en Neruda, podría querer subrayar precisamente, en este caso, un menor grado de generalidad o *esencialidad.*

tante de *degradación,* asume en los textos configuraciones variadas que van desde la impotencia a la esclavitud. Sin espacio para un análisis detallado, limitémonos a destacar algunos momentos autoalusivos claramente intervinculados a este nivel: «ay, lo que mi corazón pálido *no puede abarcar*» («Galope muerto»); *«innecesario»* («Caballo de los sueños»); «la *lluvia* cae sobre mí, y *se me parece,* / se me parece con su *desvarío,* solitaria en el mundo muerto, / *rechazada* al caer, y sin forma *obstinada*» («Débil del alba»); «trabajo *sordamente,* girando sobre mí mismo, / como el *cuervo* sobre la muerte, el cuervo de luto» (Unidad); «un *sirviente* mortal vestido de *hambre*» («Diurno doliente»); «como un *camarero humillado*» («Arte poética»); «como un *vigía* tornado insensible y ciego, / incrédulo y *condenado a un doloroso acecho*» («Sistema sombrío»). En los textos de autorrepresentación *circunstancial* se verifica también esta instancia de degradación: «haciendo *una guardia innecesaria*» («La noche del soldado»); «como un *ataúd envejecido*» («El deshabitado»); «difícilmente llamo a la realidad, *como el perro,* y también *aúllo*» («Establecimientos nocturnos»); «con un pensamiento fijo *de esclavitud y de cadenas*» («Ritual de mis piernas»). Adviértanse las autorreferencias degradadas en algunos títulos de poemas: *soldado* (cfr. alférez, capitán), *deshabitado, viudo.*

Pero la retórica del autorretrato en RST-I contrapone a la degradación, con simétrica regularidad, una constante compensatoria de *profecía* («lo profético que hay en mí», «mi sentido profético») [29]. Se trata de pasajes en que el hablante, sin mengua de su ánimo de servicio, repropone con dignidad y a veces con entusiasmo el orgullo de la propia figura y la razón de su mester: «para mí que entro cantando, / como con una espada entre indefensos» («Galope muerto»); «un ángel invariable vive en mi espada» («Sabor»); «amo lo tenaz que aún sobrevive en mis ojos» («Sonata y destrucciones»), y con particular evidencia: «pero, la verdad, de pronto, el viento que azota mi pecho, / las noches de subs-

---

[29] La palabra *profético* cubre sólo aproximativamente lo que Neruda quiere significar. Al respecto, cfr. Franco 1975.

tancia infinita caídas en mi dormitorio, / el ruido de un día que arde con sacrificio, / *me piden lo profético que hay en mí*» («Arte poética»).

Entre estos dos pilares —degradación y profecía— que sostienen la estructura dialéctica del autorretrato en RST-I, otras constantes retóricas se instalan. Una de ellas es el motivo del *día elegido*. En el pasaje recién citado de «Arte poética», el discrimen numérico *noches / día* confirma que lo decisivo en RST es la afirmación del Día y que en este gesto reside la tensión poética del libro. La homogeneidad siempre positiva del espacio nocturno permite evocarlo en plural, en tanto que la uniformidad negativa de «los días blancos de espacio» obliga al hablante a recortar en esa masa hostil algún breve segmento favorable: *un día* azarosamente sorprendido, elegido o aislado entre tanta tristeza, es su única vía de persistencia en el testimonio, en el amor (en «el más grande amor», como *evocará* «Alturas de Macchu Picchu», I). El día especial, que en el modelo germinal es una *hora* que «crece de improviso» («Galope muerto»), se ofrece en ciertos textos como repentino, efímero, anhelado contrapunto de estímulos y alegría frente a la rutina del dolor: «¡Qué día ha sobrevenido! (...) / He oído relinchar su rojo caballo / desnudo (...) / Atravieso con él sobre las iglesias» («Caballo de los sueños»); «Porque la ventana que el mediodía vacío atraviesa / tiene un día cualquiera mayor aire en sus alas, / el frenesí hincha el traje...» («Diurno doliente»); «así, plateado, frío, se ha cobijado un día, / frágil como la espada de cristal de un gigante, / ... / ... un día que fue esperado» («Monzón de mayo»). Más frecuentemente el día elegido es un normal «día de los desventurados» («Débil del alba»), «igual entre los días terrestres» («Sabor»), es «un día que arde con sacrificio» igual a «cada uno de estos días negros como viejos hierros, / y abiertos por el sol como grandes bueyes rojos / y apenas sostenidos por el aire y por los sueños («Sistema sombrío»). Pero es precisamente esta condición precaria y frágil del día elegido lo que solicita del hablante *lo profético* que hay en él, y también su «doloroso acecho», su «guardia innecesaria», su servicio, su esclavitud: «arranco

de mi corazón al capitán del infierno, / *establezco* cláusulas
indefinidamente tristes» («Caballo de los sueños»); «yo
*lloro* en medio de lo invadido, entre lo confuso, / entre el
sabor creciente, *poniendo el oído* / en la pura circulación,
en el aumento» («Débil del alba»).

La *interrogación* es otra constante retórica que refuerza
ambiguamente las dos columnas estructurales de RST-I. En
el contexto del servicio humillado se sitúan y se explican preguntas del tipo. «Quién puede jactarse de paciencia más
sólida?» («Sabor»); «Quién hizo ceremonia de cenizas? /
Quién amó lo perdido, quién protegió lo último?» («Sonata y destrucciones»). En cambio otros interrogantes tienden
a sostener la propensión profética del hablante: «Ahora
bien, de qué está hecho ese surgir de palomas / que hay
entre la noche y el tiempo...?» («Galope muerto»); o manifiestan diversos grados de incerteza o desánimo: «Contra
qué levantar el hacha hambrienta? / De qué materia des-
poseer, huir de qué rayo?» («Monzón de mayo»).

Situado entre la degradación y la profecía, el *testigo* deviene la suprema figura autoalusiva en RST-I. En el testimonio convergen por un lado las categorías *paciencia* y *obediencia,* ligadas al servicio degradado, y por otro *guardia* o
*ceremonia* o *galope* o *amor,* actividades proféticas: «Acecho,
pues, lo inanimado y lo doliente, / y el *testimonio* extraño
que sostengo, / con eficiencia cruel y escrito en cenizas, /
es la forma de olvido que prefiero» («Sonata y destrucciones»). El testimonio es, pues, un *compromesso:* la tensión
que gobierna los textos de RST-I es el resultado de un *control* expresivo que a nivel de autorrepresentación se formaliza
precisamente en la figura del *testigo.* En modo alguno el testigo es el simple espectador, neutro y pasivo, de su propio
drama (cfr. Sicard, 1977: 113): es más bien el empecinado
*manifestante* de una difícil relación yo-mundo. Neutro, sí, el
testigo, pero sólo en el sentido de un sujeto que, no pudien-
do ni celebrar ni renegar el objeto de su amor, se limita a
rendir un controlado pero ardiente testimonio de él. El testigo es, en suma, la figura en que desemboca la desacralización del hablante. Por eso RST-I, después del paréntesis de

extremo desaliento y de parálisis que es «Trabajo frío», se cierra con una reafirmación tan obstinada como nítida: «Sea, pues, lo que soy, en alguna parte y en todo tiempo, / *establecido y asegurado y ardiente testigo,* / cuidadosamente destruyéndose y preservándose incesantemente, / evidentemente empeñado en su deber original» (Significa sombras») [30].

Toda complacencia en el autorretrato desaparece en RST-II (*Residencia en la tierra-II*) que, en cambio, tendería a definirse como leal y consecuente ejercicio del testimonio. Se trata en verdad de un desplazamiento del énfasis dentro de la dialéctica autorrepresentativa. Reduciendo visiblemente el diseño explícito de la propia figura, el hablante de RST-II pone un nítido acento en el *afuera,* en el examen del entorno que persiste en asediarlo (sobre la centralidad del yo, cfr. Sicard, 1977). En cambio, la presencia implícita del yo es particularmente intensa en este volumen. Podría pensarse en una lógica secuencia: RST-I, definición del yo; RST-II, praxis del yo o el testigo al trabajo. Pero no es tan simple. Lo que en realidad ha desaparecido es aquella búsqueda de un nivel *esencial* para la autorrepresentación, dentro del cual el hablante lograba reencontrar un equilibrio y tener a raya la angustia, que en RST-II cede lugar y predominio a textos más próximos al nivel que correlativamente llamamos *circunstancial.* «Un día sobresale», por ejemplo, que parece una variación sobre «Débil del alba», exaspera el inventario doloroso de la jornada emergente sin desarrollar, explícitamente, ninguna propuesta autoconfigurativa compensatoria. La persistencia y fidelidad del testigo prueba que las tentativas de autorretrato en Neruda no se cierran en sí mismas y que, por el contrario, apuntan siempre a una inserción coherente del yo en el mundo. Este objetivo parece haberse tornado

---

[30] En «Juntos nosotros» la dimensión autorretrato viene incluida —con excepcional orgullo celebrativo del propio cuerpo— en una imagen de la pareja de amantes. La plenitud del amor determina que este poema sea un momento único e irrepetido dentro del sistema de autorrepresentación de RST-I. Desde ángulos afines, cfr. los textos «El joven monarca» y «Ritual de mis piernas».

extremadamente difícil y doloroso en RST-II. El nivel *esencial* en el sistema de autorrepresentación permitía aún al yo un cierto *élan* erótico en su relación con el mundo. Eso ya no existe en RST-II. El «ardiente testigo» de RST-I asume ahora esta figura despiadada: «como un párpado atrozmente levantado a la fuerza / estoy mirando» («Agua sexual»).

¿Qué ha sucedido? El comienzo de la elaboración de RST-II coincide con el regreso de Neruda a Chile (1932). Retorno nada alegre y ligado, en cambio, a difíciles circunstancias íntimas y de trabajo. La desolación, ya grande en Oriente, se acentúa en la patria y el desaliento es extremo. Este clima externo repercute naturalmente sobre el sistema de autorrepresentación, al interior de la continuidad del testigo. Así, la primera sección de RST-II puede ser leída como un nuevo *balance,* fragmentado esta vez en cuatro textos que rinden sombría cuenta de aspectos claves de la situación: «Un día sobresale», especie de réquiem del *día elegido;* «Sólo la muerte» o la omnipresencia de la corrosión; «Barcarola» o la desolación afectiva; y «El sur del océano» o la imposibilidad de reproponer la provincia de la infancia como nuevo «refugio de regreso». En particular estos dos últimos textos, vinculados entre sí por un común escenario de «costa lúgubre» y sola, trasudan extrema congoja (no olvidar que para nuestro hablante el mar del sur es y será el espacio del último recurso). Por lo cual no es extraño que el balance inaugural de RST-II desemboque en una tentativa *límite* de autorrepresentación: el poema «Walking around». La secuencia «yo paseo con calma, con ojos (...)» evoca nada casualmente aquella otra: «paseo, haciendo una guardia innecesaria», de «La noche del soldado» (RST-I), y contrapone al mismo tiempo su acongojado *walking around* (a través de oficinas, tiendas y patios con ropas sucias) al entusiasta galope onírico de «Caballo de los sueños» y al más sombrío —pero igualmente distanciado— vuelo del pardo corcel en «Colección nocturna». No hay distancia ahora entre el hablante y la mezquindad del ámbito social. Se autodescribe burócrata, «con un traje de perro y una mancha en la frente»

(«Desespediente»), metido hasta el cuello en una organización de la vida que sólo exuda pestilencia y rutina para él. Desde este temple degradado RST-II prodiga e intensifica ácidas menciones de establecimientos y objetos que definen la vida urbana: administraciones, papeles, ministerios, estampillas, alcobas, almacenes, peluquerías, negocios, ascensores, habitaciones, hoteles, oficinas, iglesias tenebrosas, bodegas solas, calles deterioradas, sastrerías, vías férreas, telegramas, farmacias, cementerios, exasperando y dando mayor inmediatez a las imágenes de conventos, funerales estaciones, solitarios malecones, lenocinios, miserables cinematógrafos y dormitorios en desuso que poblaban el escenario de RST-I. «Walking around» va todavía más allá, llegando hasta el rechazo del propio ser físico: «sucede que me canso de mis pies y mis uñas / y mi pelo y mi sombra». En RST-I la piel del propio cuerpo podía ser —in extremis— la última línea defensiva de la vida, de lo auténtico (así en «Ritual de mis piernas»); o podía por sí sola fundar una autorrepresentación celebrativa (así en «Juntos nosotros»). En «Walking around», incluso esa final frontera ha caído. Bien se puede decir entonces que este texto registra el nadir del temple moral del yo en RST. Pero aun en este trance límite, al borde mismo del colapso, nuestro hablante encuentra fuerzas para repechar, para abrirse todavía un tragaluz, un respiradero profético: «Sin embargo sería delicioso / asustar a un notario con un lirio cortado / o dar muerte a una monja con un golpe de oreja», etcétera.

«El sur del océano» certifica que la experiencia textualizada en RST-I es irreversible: no siendo posible un retorno a los presupuestos de *Anillos* (la provincia de la infancia como refugio de regreso), frente al yo lírico se extiende el desierto, el vacío: «sólo quiero morder tus costas y morirme». Esto conduce a una redimensión del testigo que, como hemos visto, prosigue su tarea ciegamente, sin ilusiones compensatorias, acusando su luto, sin embargo. En medio de tanta precariedad la retórica del autodiseño avanza operaciones de tanteo o de búsqueda angustiada de un nuevo equilibrio. Destaquemos dos de estas operaciones: 1) *Exacerbación de la neutralidad del testigo,* sea mediante escuetos y descarnados sistemas de aserciones o actas del acontecer (p. ej., «Agua sexual»), sea —más ostensiblemente— mediante la proliferación del verbo *hay* (del cual *sucede* es una variante): «hay cementerios solos», «hay paraguas en todas partes», «hay... un terrible comedor abandonado», «no hay sino ruedas y consideraciones», «hay el agua que cae en mi cabeza», «hay meses seriamente acumulados», etc. Fórmula-resumen: «Si me preguntáis en dónde he estado / debo decir 'Sucede'.» 2) *Súplica o petición de ayuda:* indirectamente con fórmulas de índole desiderativa: «sólo quiero morder tus costas y morirme», «sólo quiero un descanso de piedras o de lana», «no quiero para mí tantas desgracias»; directamente a través del apóstrofe de imploración: «Ven a mi alma vestida de blanco, con un ramo / de ensangrentadas rosas y copas de cenizas, / ven con una manzana y un caballo, / porque allí hay una sala oscura y un candelabro roto, / unas sillas torcidas que esperan el invierno, / y una paloma muerta, con un número» («Oda con un lamento»); «Ayudadme, hojas que mi corazón ha adorado en silencio, / ásperas travesías, inviernos del sur, (...) / venid a mí con un día sin dolor, / con un minuto en que pueda reconocer mis venas» («Enfermedades en mi casa»). En estos ejemplos la nueva precariedad menesterosa apela como siempre —pero en otro nivel del desarrollo del yo— al amor y al sur de la infancia, reproponiendo aún los contactos que «Barcarola» y «El sur del océano» han respectivamente interrumpido. La renovada búsqueda de equilibrio se resuelve en una extraordinaria propuesta de autorrepresentación: el poema «Entrada a la madera», en el que la súplica viaja a la profundidad de la materia.

«Entrada a la madera» supone la madurez del reconocimiento, en la naturaleza, de un modo satisfactorio y pleno de continuidad temporal. En la naturaleza el Tiempo es recibido sin zozobras ni desolación (porque es en el Tiempo que la vida y la muerte realizan la fecundidad, el movimiento), en contraste con la fragmentación y la discontinuidad

angustiosas que reinan en el ámbito de la coexistencia humana. El poema se estructura, primero como peregrinación (des-
censo-ascenso) del yo a la profundidad y al espesor de la
madera, luego como acto de alabanza y maravilla frente a la
fertilidad, y finalmente como plegaria del yo por su incorporación a la continuidad fecunda del orden natural. El texto implica la intuición apasionada de procesos que transcu-
rren en un Tiempo ajeno al del «acongojado corazón» del
hablante, y, con ello, la admisión de un Tiempo objetivo para
el existir de la naturaleza (paso que precede al inminente
encuentro de la poesía de Neruda con la historia, esto es, con
el Tiempo objetivo del hombre). A esta representación cir-
cunscrita pero central del *afuera,* de lo real, opone el hablante una autorrepresentación *totalizante,* y también central,
a través de un reiterado «soy yo» en el que se conjugan la
degradación (precariedad suplicante) y la profecía (vehemencia afirmativa de la propia necesidad y condición): «Es que
soy yo ante tu color de mundo, / ... / soy yo con mis lamentos sin origen [31].» Este yo, así autoconfirmado, reclama de la
silenciosa multitud vegetal su propia integración al profundo
batallar de la vida y de la muerte que preside los procesos
de la materia: «Poros, vetas, círculos de dulzura, / ... / venid
a mí, a mi sueño sin medida, / caed en mi alcoba en que la
noche cae / y cae sin cesar como agua rota, / y a vuestra
vida, a vuestra muerte asidme.» En esta súplica de incorporación a la fertilidad el hablante reabre horizontes a su tenacidad testimonial. Las últimas secciones de RST-II proponen
nuevos asideros a la porfía del yo: los estragos de la Muerte
(«Alberto Rojas Giménez viene volando») y del Tiempo humano («No hay olvido») logran ser neutralizados en el nuevo autodiseño del hablante trámite la *individualización* de la
Poesía verdadera en la Amistad («Oda a Federico García

---

[31] La asociación entre este *soy yo* y el *yo soy* de CGN, XV
(cfr. Sicard 1977: 139) es, por cierto, más que pertinente. Desde
nuestro punto de vista, ambas autorreferencias son afines y a la
vez opuestas: totalidad precaria y suplicante (soy yo, RST) / totalidad realizada y orgullosa (yo soy, CGN). La simetría especular
entre ambos sintagmas (soy yo / yo soy) no es indiferente.

Lorca») y del Amor verdadero en el Recuerdo («Josie Bliss»).
La proposición *nominativa* de estos textos nos parece un indicio importante dentro de esta etapa de renovación del yo lírico, vinculada externamente a la experiencia que el poeta vive en España desde 1934 [32].

[32] Sobre RST, cfr. especialmente Alonso 1951, Camacho Guizado 1978, Concha 1972 y 1974, De Costa 1979, Loyola 1967, Lozada 1971, Rodríguez Monegal 1966, Schwartzmann 1953, Sicard 1977.

*Galope muerto*

Como cenizas, como mares poblándose,
en la sumergida lentitud, en lo informe,
o como se oyen desde el alto de los caminos
cruzar las campanadas en cruz,
teniendo ese sonido ya aparte del metal,
confuso, pesado, haciéndose polvo
en el mismo molino de las formas demasiado lejos,
o recordadas o no vistas,
y el perfume de las ciruelas que rodando a tierra
se pudren en el tiempo, infinitamente verdes.

Aquello todo tan rápido, tan viviente,
inmóvil sin embargo, como la polea loca en sí misma,
esas ruedas de los motores, en fin.
Existiendo como las puntadas secas en las costuras del
          árbol,

callado, por alrededor, de tal modo,
mezclando todos los limbos sus colas.
Es que de dónde, por dónde, en qué orilla?
El rodeo constante, incierto, tan mudo,
como las lilas alrededor del convento,
o la llegada de la muerte a la lengua del buey
que cae a tumbos, guardabajo, y cuyos cuernos quieren
       sonar.

Por eso, en lo inmóvil, deteniéndose, percibir,
entonces, como aleteo inmenso, encima,
como abejas muertas o números,
ay, lo que mi corazón pálido no puede abarcar,
en multitudes, en lágrimas saliendo apenas,
y esfuerzos humanos, tormentas,
acciones negras descubiertas de repente
como hielos, desorden vasto,
oceánico, para mí que entro cantando,
como con una espada entre indefensos.

Ahora bien, de qué está hecho ese surgir de palomas
que hay entre la noche y el tiempo, como una barranca
       húmeda?
Ese sonido ya tan largo
que cae listando de piedras los caminos,
más bien, cuando sólo una hora
crece de improviso, extendiéndose sin tregua.

Adentro del anillo del verano
una vez los grandes zapallos escuchan,
estirando sus plantas conmovedoras,
de eso, de lo que solicitándose mucho,
de lo lleno, oscuros de pesadas gotas.

                            [RST-I]

*Caballo de los sueños*

Innecesario, viéndome en los espejos
con un gusto a semanas, a biógrafos, a papeles,
arranco de mi corazón al capitán del infierno,
establezco cláusulas indefinidamente tristes.

Vago de un punto a otro, absorbo ilusiones,
converso con los sastres en sus nidos:
ellos, a menudo, con voz fatal y fría
cantan y hacen huir los maleficios.

Hay un país extenso en el cielo
con las supersticiosas alfombras del arco iris
y con vegetaciones vesperales:
hacia allí me dirijo, no sin cierta fatiga,
pisando una tierra removida de sepulcros un tanto frescos,
yo sueño entre esas plantas de legumbre confusa.

Paso entre documentos disfrutados, entre orígenes,
vestido como un ser original y abatido:
amo la miel gastada del respeto,
el dulce catecismo entre cuyas hojas
duermen violetas envejecidas, desvanecidas,
y las escobas, conmovedoras de auxilios,
en su apariencia hay, sin duda, pesadumbre y certeza.
Yo destruyo la rosa que silba y la ansiedad raptora:
yo rompo extremos queridos: y aún más,
aguardo el tiempo uniforme, sin medidas:
un sabor que tengo en el alma me deprime.

Qué día ha sobrevenido! Qué espesa luz de leche,
compacta, digital, me favorece!

He oído relinchar su rojo caballo
desnudo, sin herraduras y radiante.
Atravieso con él sobre las iglesias,
galopo los cuarteles desiertos de soldados
y un ejército impuro me persigue.
Sus ojos de eucaliptus roban sombra,
su cuerpo de campana galopa y golpea.

Yo necesito un relámpago de fulgor persistente,
un deudo festival que asuma mis herencias.

[RST-I]

## Débil del alba

El día de los desventurados, el día pálido se asoma
con un desgarrador olor frío, con sus fuerzas en gris,
sin cascabeles, goteando el alba por todas partes:
es un naufragio en el vacío, con un alrededor de llanto.

Porque se fue de tantos sitios la sombra húmeda, callada,
de tantas cavilaciones en vano, de tantos parajes terrestres
en donde debió ocupar hasta el designio de las raíces,
de tanta forma aguda que se defendía.

Yo lloro en medio de lo invadido, entre lo confuso,
entre el sabor creciente, poniendo el oído
en la pura circulación, en el aumento,
cediendo sin rumbo el paso a lo que arriba,
a lo que surge vestido de cadenas y claveles,
yo sueño, sobrellevando mis vestigios morales.

Nada hay de precipitado, ni de alegre, ni de forma or-
          gullosa,
todo aparece haciéndose con evidente pobreza,
la luz de la tierra sale de sus párpados
no como la campanada, sino más bien como las lágrimas:
el tejido del día, su lienzo débil,
sirve para una venda de enfermos, sirve para hacer señas
en una despedida, detrás de la ausencia:
es el color que sólo quiere reemplazar,
cubrir, tragar, vencer, hacer distancias.

Estoy solo entre materias desvencijadas,
la lluvia cae sobre mí, y se me parece,
se me parece con su desvarío, solitaria en el mundo muerto,
rechazada al caer, y sin forma obstinada.

                                        [RST-I]


## Unidad

Hay algo denso, unido, sentado en el fondo,
repitiendo su número, su señal idéntica.
Cómo se nota que las piedras han tocado el tiempo,
en su fina materia hay olor a edad,
y el agua que trae el mar, de sal y sueño.

Me rodea una misma cosa, un solo movimiento:
el peso del mineral, la luz de la miel,
se pegan al sonido de la palabra noche:
la tinta del trigo, del marfil, del llanto,
envejecidas, desteñidas, uniformes,
se unen en torno a mí como paredes.

Trabajo sordamente, girando sobre mí mismo,
como el cuervo sobre la muerte, el cuervo de luto.
Pienso, aislado en lo extremo de las estaciones,
central, rodeado de geografía silenciosa:
una temperatura parcial cae del cielo,
un extremo imperio de confusas unidades
se reúne rodeándome.

[RST-I]


## Sabor


De falsas astrologías, de costumbres un tanto lúgubres,
vertidas en lo inacabable y siempre llevadas al lado,
he conservado una tendencia, un sabor solitario.

De conversaciones gastadas como usadas maderas,
con humildad de sillas, con palabras ocupadas
en servir como esclavos de voluntad secundaria,
teniendo esa consistencia de la leche, de las semanas
          muertas,
del aire encadenado sobre las ciudades.

Quién puede jactarse de paciencia más sólida?
La cordura me envuelve de piel compacta
de un color reunido como una culebra:
mis criaturas nacen de un largo rechazo:
ay, con un solo alcohol puedo despedir este día
que he elegido, igual entre los días terrestres.

Vivo lleno de una substancia de color común, silenciosa
como una vieja madre, una paciencia fija
como sombra de iglesia o reposo de huesos.

Voy lleno de esas aguas dispuestas profundamente,
preparadas, durmiéndose en una atención triste.

En mi interior de guitarra hay un aire viejo,
seco y sonoro, permanecido, inmóvil,
como una nutrición fiel, como humo:
un elemento en descanso, un aceite vivo:
un pájaro de rigor cuida mi cabeza:
un ángel invariable vive en mi espada.

*[RST-I]*

## Juntos nosotros

Qué pura eres de sol o de noche caída,
qué triunfal desmedida tu órbita de blanco,
y tu pecho de pan, alto de clima,
tu corona de árboles negros, bienamada,
y tu nariz de animal solitario, de oveja salvaje
que huele a sombra y a precipitada fuga tiránica.
Ahora, qué armas espléndidas mis manos,
digna su pala de hueso y su lirio de uñas,
y el puesto de mi rostro, y el arriendo de mi alma
están situados en lo justo de la fuerza terrestre.

Qué pura mi mirada de nocturna influencia,
caída de ojos oscuros y feroz acicate,
mi simétrica estatua de piernas gemelas
sube hacia estrellas húmedas cada mañana,
y mi boca de exilio muerde la carne y la uva,
mis brazos de varón, mi pecho tatuado

en que penetra el vello como ala de estaño,
mi cara blanca hecha para la profundidad del sol,
mi pelo hecho de ritos, de minerales negros,
mi frente, penetrante como golpe o camino,
mi piel de hijo maduro, destinado al arado,
mis ojos de sal ávida, de matrimonio rápido,
mi lengua amiga blanda del dique y del buque,
mis dientes de horario blanco, de equidad sistemática,
la piel que hace a mi frente un vacío de hielos
y en mi espalda se torna, y vuela en mis párpados,
y se repliega sobre mi más profundo estímulo,
y crece hacia las rosas en mis dedos,
en mi mentón de hueso y en mis pies de riqueza.

Y tú como un mes de estrella, como un beso fijo,
como estructura de ala, o comienzos de otoño,
niña, mi partidaria, mi amorosa,
la luz hace su lecho bajo tus grandes párpados
dorados como bueyes, y la paloma redonda
hace sus nidos blancos frecuentemente en ti.
Hecha de ola en lingotes y tenazas blancas,
tu salud de manzana furiosa se estira sin límite,
el tonel temblador en que escucha tu estómago,
tus manos hijas de la harina y del cielo.

Qué parecida eres al más largo beso,
su sacudida fija parece nutrirte,
y su empuje de brasa, de bandera revuelta,
va latiendo en tus dominios y subiendo temblando,
y entonces tu cabeza se adelgaza en cabellos,
y su forma guerrera, su círculo seco,
se desploma de súbito en hilos lineales
como filos de espadas o herencias del humo.

[RST-I]

*Diurno doliente*

De pasión sobrante y sueños de ceniza
un pálido palio llevo, un cortejo evidente,
un viento de metal que vive solo,
un sirviente mortal vestido de hambre,
y en lo fresco que baja del árbol, en la esencia del sol
que su salud de astro implanta en las flores,
cuando a mi piel parecida al oro llega el placer,
tú, fantasma coral con pies de tigre,
tú, ocasión funeral, reunión ígnea,
acechando la patria en que sobrevivo
con tus lanzas lunares que tiemblan un poco.

Porque la ventana que el mediodía vacío atraviesa
tiene un día cualquiera mayor aire en sus alas,
el frenesí hincha el traje y el sueño al sombrero,
una abeja extremada arde sin tregua.
Ahora, qué imprevisto paso hace crujir los caminos?
Qué vapor de estación lúgubre, qué rostro de cristal,
y aún más, qué sonido de carro viejo con espigas?
Ay, una a una, la ola que llora y la sal que se triza,
y el tiempo del amor celestial que pasa volando,
han tenido voz de huéspedes y espacio en la espera.

De distancias llevadas a cabo, de resentimientos infieles,
de hereditarias esperanzas mezcladas con sombra,
de asistencias desgarradoramente dulces
y días de transparente veta y estatua floral,
qué subsiste en mi término escaso, en mi débil producto?
De mi lecho amarillo y de mi substancia estrellada,
quién no es vecino y ausente a la vez?
Un esfuerzo que salta, una flecha de trigo
tengo, y un arco en mi pecho manifiestamente espera,

y un latido delgado, de agua y tenacidad,
como algo que se quiebra perpetuamente,
atraviesa hasta el fondo mis separaciones,
apaga mi poder y propaga mi duelo.

[RST-I]


## Arte poética

Entre sombra y espacio, entre guarniciones y doncellas,
dotado de corazón singular y sueños funestos,
precipitadamente pálido, marchito en la frente
y con luto de viudo furioso por cada día de vida,
ay, para cada agua invisible que bebo soñolientamente
y de todo sonido que acojo temblando,
tengo la misma sed ausente y la misma fiebre fría
un oído que nace, una angustia indirecta,
como si llegaran ladrones o fantasmas,
y en una cáscara de extensión fija y profunda,
como un camarero humillado, como una campana un poco
          ronca,
como un espejo viejo, como un olor de casa sola
en la que los huéspedes entran de noche perdidamente
          ebrios,
y hay un olor de ropa tirada al suelo, y una ausencia de
          flores
—posiblemente de otro modo aún menos melancólico—,
pero, la verdad, de pronto, el viento que azota mi pecho,
las noches de substancia infinita caídas en mi dormitorio,
el ruido de un día que arde con sacrificio
me piden lo profético que hay en mí, con melancolía
y un golpe de objetos que llaman sin ser respondidos
hay, y un movimiento sin tregua, y un nombre confuso.

[RST-I]

## *Sistema sombrío*

De cada uno de estos días negros como viejos hierros,
y abiertos por el sol como grandes bueyes rojos,
y apenas sostenidos por el aire y por los sueños,
y desaparecidos irremediablemente y de pronto,
nada ha substituido mis perturbados orígenes,
y las desiguales medidas que circulan en mi corazón
allí se fraguan de día y de noche, solitariamente,
y abarcan desordenadas y tristes cantidades.

Así, pues, como un vigía tornado insensible y ciego,
incrédulo y condenado a un doloroso acecho,
frente a la pared en que cada día del tiempo se une,
mis rostros diferentes se arriman y encadenan
como grandes flores pálidas y pesadas
tenazmente substituidas y difuntas.

[*RST-I*]

## *Sonata y destrucciones*

Después de mucho, después de vagas leguas,
confuso de dominios, incierto de territorios,
acompañado de pobres esperanzas
y compañías infieles y desconfiados sueños,
amo lo tenaz que aún sobrevive en mis ojos,
oigo en mi corazón mis pasos de jinete,
muerdo el fuego dormido y la sal arruinada,
y de noche, de atmósfera oscura y luto prófugo,
aquel que vela a la orilla de los campamentos,
el viajero armado de estériles resistencias,

detenido entre sombras que crecen y alas que tiemblan,
me siento ser, y mi brazo de piedra me defiende.

Hay entre ciencias de llanto un altar confuso,
y en mi sesión de atardeceres sin perfume,
en mis abandonados dormitorios donde habita la luna,
y arañas de mi propiedad, y destrucciones que me son
            queridas,
adoro mi propio ser perdido, mi substancia imperfecta,
mi golpe de plata y mi pérdida eterna.
Ardió la uva húmeda, y su agua funeral
aún vacila, aún reside,
y el patrimonio estéril, y el domicilio traidor.

Quién hizo ceremonia de cenizas?
Quién amó lo perdido, quién protegió lo último?
El hueso del padre, la madera del buque muerto,
y su propio final, su misma huida,
su fuerza triste, su dios miserable?

Acecho, pues, lo inanimado y lo doliente,
y el testimonio extraño que sostengo,
con eficiencia cruel y escrito en cenizas,
es la forma de olvido que prefiero,
el nombre que doy a la tierra, el valor de mis sueños,
la cantidad interminable que divido
con mis ojos de invierno, durante cada día de este mundo.

                                              [RST-I]


## La noche del soldado

   Yo hago la noche del soldado, el tiempo del hombre
sin melancolía ni exterminio, del tipo tirado lejos por el

océano y una ola, y que no sabe que el agua amarga lo ha separado y que envejece, paulatinamente y sin miedo, dedicado a lo normal de la vida, sin cataclismos, sin ausencias, viviendo dentro de su piel y de su traje, sinceramente oscuro. Así, pues, me veo con camaradas estúpidos y alegres, que fuman y escupen y horrendamente beben, y que de repente caen enfermos de muerte. Porque, dónde están la tía, la novia, la suegra, la cuñada del soldado? Tal vez de ostracismo o de malaria mueren, se ponen fríos, amarillos, y emigran a un astro de hielo, a un planeta fresco, a descansar, al fin, entre muchachas y frutas glaciales, y sus cadáveres, sus pobres cadáveres de fuego, irán custodiados por ángeles alabastrinos a dormir lejos de la llama y la ceniza.

Por cada día que cae, con su obligación vesperal de sucumbir, paseo, haciendo una guardia innecesaria, y paso entre mercaderes mahometanos, entre gentes que adoran la vaca y la cobra, paso yo, inadorable y común de rostro. Los meses no son inalterables, y a veces llueve: cae, del calor del cielo, una impregnación callada como el sudor, y sobre los grandes vegetales, sobre el lomo de las bestias feroces, a lo largo de cierto silencio, estas plumas húmedas se entretejen y alargan. Aguas de la noche, lágrimas del viento monzón, saliva salada caída como la espuma del caballo, y lenta de aumento, pobre de picadura atónita de vuelo.

Ahora, dónde está esa curiosidad profesional, esa ternura abatida que sólo con su reposo abría brecha, esa conciencia resplandeciente cuyo destello me vestía de ultraazul? Voy respirando como hijo hasta el corazón de un método obligatorio, de una tenaz paciencia física, resultado de alimentos y edad acumulados cada día, despojado de mi vestuario de venganza y de mi piel de oro. Horas de una sola estación ruedan a mis pies, y un día de formas diurnas y nocturnas está casi siempre detenido sobre mí.

Entonces, de cuando en cuando, visito muchachas de ojos y caderas jóvenes, seres en cuyo peinado brilla una flor amarilla como el relámpago. Ellas llevan anillos en cada dedo del pie, y brazaletes, y ajorcas en los tobillos, y además, collares de color, collares que retiro y examino, porque yo quiero sorprenderme ante un cuerpo ininterrumpido y compacto, y no mitigar mi beso. Yo peso con mis brazos cada nueva estatua, y bebo su remedio vivo con sed masculina y en silencio. Tendido, mirando desde abajo la fugitiva criatura, trepando por su ser desnudo hasta su sonrisa: gigantesca y triangular hacia arriba, levantada en el aire por dos senos globales, fijos ante mis ojos como dos lámparas con luz de aceite blanco y dulces energías. Yo me encomiendo a su estrella morena, a su calidez de piel, e inmóvil bajo mi pecho como un adversario desgraciado, de miembros demasiado espesos y débiles, de ondulación indefensa: o bien girando sobre sí misma como una rueda pálida, dividida de aspas y dedos, rápida, profunda, circular, como una estrella en desorden.

Ay, de cada noche que sucede, hay algo de brasa abandonada que se gasta sola, y cae envuelta en ruinas, en medio de cosas funerales. Yo asisto comúnmente a esos términos, cubierto de armas inútiles, lleno de objeciones destruidas. Guardo la ropa y los huesos levemente impregnados de esa materia seminocturna: es un polvo temporal que se me va uniendo, y el dios de la substitución vela a veces a mi lado, respirando tenazmente, levantando la espada.

[RST-I]


## Caballero solo

Los jóvenes homosexuales y las muchachas amorosas,
y las largas viudas que sufren el delirante insomnio,

y las jóvenes señoras preñadas hace treinta horas,
y los roncos gatos que cruzan mi jardín en tinieblas,
como un collar de palpitantes ostras sexuales
rodean mi residencia solitaria,
como enemigos establecidos contra mi alma,
como conspiradores en traje de dormitorio
que cambiaran largos besos espesos por consigna.

El radiante verano conduce a los enamorados
en uniformes regimientos melancólicos,
hechos de gordas y flacas y alegres y tristes parejas:
bajo los elegantes cocoteros, junto al océano y la luna,
hay una continua vida de pantalones y polleras,
un rumor de medias de seda acariciadas,
y senos femeninos que brillan como ojos.

El pequeño empleado, después de mucho,
después del tedio semanal, y las novelas leídas de noche en
          cama
ha definitivamente seducido a su vecina,
y la lleva a los miserables cinematógrafos
donde los héroes son potros o príncipes apasionados,
y acaricia sus piernas llenas de dulce vello
con sus ardientes y húmedas manos que huelen a cigarrillo.

Los atardeceres del seductor y las noches de los esposos
se unen como dos sábanas sepultándome,
y las horas después del almuerzo en que los jóvenes
          estudiantes
y las jóvenes estudiantas, y los sacerdotes se masturban,
y los animales fornican directamente,
y las abejas huelen a sangre, y las moscas zumban coléricas,
y los primos juegan extrañamente con sus primas,
y los médicos miran con furia al marido de la joven
          paciente,

y las horas de la mañana en que el profesor, como por
        descuido,
cumple con su deber conyugal y desayuna,
y más aún, los adúlteros, que se aman con verdadero amor
sobre lechos altos y largos como embarcaciones:
seguramente, eternamente me rodea
este gran bosque respiratorio y enredado
con grandes flores como bocas y dentaduras
y negras raíces en forma de uñas y zapatos.

                                                    [RST-I]


## Ritual de mis piernas


Largamente he permanecido mirando mis largas piernas,
con ternura infinita y curiosa, con mi acostumbrada pasión,
como si hubieran sido las piernas de una mujer divina
profundamente sumida en el abismo de mi tórax:
y es que, la verdad, cuando el tiempo, el tiempo pasa,
sobre la tierra, sobre el techo, sobre mi impura cabeza,
y pasa, el tiempo pasa, y en mi lecho no siento de noche
        que una mujer está respirando, durmiendo desnuda
        y a mi lado,
entonces, extrañas, oscuras cosas toman el lugar de la
        ausente,
viciosos, melancólicos pensamientos
siembran pesadas posibilidades en mi dormitorio,
y así, pues, miro mis piernas como si pertenecieran a otro
        cuerpo,
y fuerte y dulcemente estuvieran pegadas a mis entrañas.

Como tallos o femeninas, adorables cosas,
desde las rodillas suben, cilíndricas y espesas,

con turbado y compacto material de existencia;
como brutales, gruesos brazos de diosa,
como árboles monstruosamente vestidos de seres humanos,
como fatales, inmensos labios sedientos y tranquilos,
son allí la mejor parte de mi cuerpo:
lo enteramente substancial, sin complicado contenido
de sentidos o tráqueas o intestinos o ganglios:
nada, sino lo puro, lo dulce y espeso de mi propia vida,
guardando la vida, sin embargo, de una manera completa.


Las gentes cruzan el mundo en la actualidad
sin apenas recordar que poseen un cuerpo y en él la vida,
y hay miedo, hay miedo en el mundo de las palabras que
            designan el cuerpo,
y se habla favorablemente de la ropa,
de pantalones es posible hablar, de trajes,
y de ropa interior de mujer (de medias y ligas de
            «señora»),
como si por las calles fueran las prendas y los trajes vacíos
            por completo
y un oscuro y obsceno guardarropas ocupara el mundo.


Tienen existencia los trajes, color, forma, designio,
y profundo lugar en nuestros mitos, demasiado lugar,
demasiados muebles y demasiadas habitaciones hay en el
            mundo,
y mi cuerpo vive entre y bajo tantas cosas abatido,
con un pensamiento fijo de esclavitud y de cadenas.
Bueno, mis rodillas, como nudos,
particulares, funcionarios, evidentes,
separan las mitades de mis piernas en forma seca:
y en realidad dos mundos diferentes, dos sexos diferentes
no son tan diferentes como las dos mitades de mis piernas.
Desde la rodilla hasta el pie una forma dura,
mineral, fríamente útil, aparece,

una criatura de hueso y persistencia,
y los tobillos no son ya sino el propósito desnudo,
la exactitud y lo necesario dispuestos en definitiva.

Sin sensualidad, cortas y duras, y masculinas,
son allí mis piernas, y dotadas
de grupos musculares como animales complementarios,
y allí también una vida, una sólida, sutil, aguda vida
sin temblar permanece, aguardando y actuando.
En mis pies cosquillosos,
y duros como el sol, abiertos como flores,
y perpetuos, magníficos soldados
en la guerra gris del espacio,
todo termina, la vida termina definitivamente en mis pies,
lo extranjero y lo hostil allí comienza:
los nombres del mundo, lo fronterizo y lo remoto,
lo substantivo y lo adjetivo que no caben en mi corazón
con densa y fría constancia allí se originan.

Siempre,
productos manufacturados, medias, zapatos,
o simplemente aire infinito,
habrá entre mis pies y la tierra
extremando lo aislado y lo solitario de mi ser,
algo tenazmente supuesto entre mi vida y la tierra,
algo abiertamente invencible y enemigo.

                                                    [RST-I]


*Tango del viudo*


Oh Maligna, ya habrás hallado la carta, ya habrás llorado
        de furia,

y habrás insultado el recuerdo de mi madre
llamándola perra podrida y madre de perros,
ya habrás bebido sola, solitaria, el té del atardecer
mirando mis viejos zapatos vacíos para siempre
y ya no podrás recordar mis enfermedades, mis sueños
        nocturnos, mis comidas,
sin maldecirme en voz alta como si estuviera allí aún
quejándome del trópico de los *coolies corringhis,*
de las venenosas fiebres que me hicieron tanto daño
y de los espantosos ingleses que odio todavía.

Maligna, la verdad, qué noche tan grande, qué tierra tan
        sola!
He llegado otra vez a los dormitorios solitarios,
a almorzar en los restaurantes comida fría, y otra vez
tiro al suelo los pantalones y las camisas,
no hay perchas en mi habitación, ni retratos de nadie en
        las paredes.
Cuánta sombra de la que hay en mi alma daría por re-
        cobrarte,
y qué amenazadores me parecen los nombres de los meses,
y la palabra invierno qué sonido de tambor lúgubre tiene.

Enterrado junto al cocotero hallarás más tarde
el cuchillo que escondí allí por temor de que me mataras,
y ahora repentinamente quisiera oler su acero de cocina
acostumbrado al peso de tu mano y al brillo de tu pie:
bajo la humedad de la tierra, entre las sordas raíces,
de los lenguajes humanos el pobre sólo sabría tu nombre,
y la espesa tierra no comprende tu nombre
hecho de impenetrables substancias divinas.

Así como me aflige pensar en el claro día de tus piernas
recostadas como detenidas y duras aguas solares,
y la golondrina que durmiendo y volando vive en tus ojos,

y el perro de furia que asilas en el corazón,
así también veo las muertes que están entre nosotros desde
      ahora,
y respiro en el aire la ceniza y lo destruido,
el largo, solitario espacio que me rodea para siempre.

Daría este viento del mar gigante por tu brusca respiración
oída en largas noches sin mezcla de olvido,
uniéndose a la atmósfera como el látigo a la piel del ca-
      ballo.
Y por oírte orinar, en la oscuridad, en el fondo de la casa,
como vertiendo una miel delgada, trémula, argentina, obs-
      tinada,
cuántas veces entregaría este coro de sombras que poseo,
y el ruido de espadas inútiles que se oye en mi alma,
y la paloma de sangre que está solitaria en mi frente
llamando cosas desaparecidas, seres desaparecidos,
substancias extrañamente inseparables y perdidas.

                                         [*RST-I*]


## Significa sombras


Qué esperanza considerar, qué presagio puro,
qué definitivo beso enterrar en el corazón,
someter en los orígenes del desamparo y la inteligencia,
suave y seguro sobre las aguas eternamente turbadas?

Qué vitales, rápidas alas de un nuevo ángel de sueños
instalar en mis hombros dormidos para seguridad perpetua,
de tal manera que el camino entre las estrellas de la muerte
sea un violento vuelo comenzado desde hace muchos días
      y meses y siglos?

Tal vez la debilidad natural de los seres recelosos y an-
		siosos
busca de súbito permanencia en el tiempo y límites en la
		tierra,
tal vez las fatigas y las edades acumuladas implacablemente
se extienden como la ola lunar de un océano recién creado
sobre litorales y tierras angustiosamente desiertas.

Ay, que lo que soy siga existiendo y cesando de existir,
y que mi obediencia se ordene con tales condiciones de
		hierro
que el temblor de las muertes y de los nacimientos no
		conmueva
el profundo sitio que quiero reservar para mí eternamente.

Sea, pues, lo que soy, en alguna parte y en todo tiempo,
establecido y asegurado y ardiente testigo,
cuidadosamente destruyéndose y preservándose incesante-
		mente,
evidentemente empeñado en su deber original.

		[RST-I]


*Barcarola*


Si solamente me tocaras el corazón,
si solamente pusieras tu boca en mi corazón,
tu fina boca, tus dientes,
si pusieras tu lengua como una flecha roja
allí donde mi corazón polvoriento golpea,
si soplaras en mi corazón, cerca del mar, llorando,
sonaría con un ruido oscuro, con sonido de ruedas de tren
		con sueño,

como aguas vacilantes,
como el otoño en hojas,
como sangre,
con un ruido de llamas húmedas quemando el cielo,
sonando como sueños o ramas o lluvias,
o bocinas de puerto triste,
si tú soplaras en mi corazón cerca del mar,
como un fantasma blanco,
al borde de la espuma,
en mitad del viento,
como un fantasma desencadenado, a la orilla del mar, llo-
        rando.

Como ausencia extendida, como campana súbita,
el mar reparte el sonido del corazón,
lloviendo, atardeciendo, en una costa sola:
la noche cae sin duda,
y su lúgubre azul de estandarte en naufragio
se puebla de planetas de plata enronquecida.

Y suena el corazón como un caracol agrio,
llama, oh mar, oh lamento, oh derretido espanto
esparcido en desgracias y olas desvencijadas:
de lo sonoro el mar acusa
sus sombras recostadas, sus amapolas verdes.

Si existieras de pronto, en una costa lúgubre,
rodeada por el día muerto,
frente a una nueva noche,
llena de olas,
y soplaras en mi corazón de miedo frío,
soplaras en la sangre sola de mi corazón,
soplaras en su movimiento de paloma con llamas,
sonarían sus negras sílabas de sangre,

crecerían sus incesantes aguas rojas,
y sonaría, sonaría a sombras,
sonaría como la muerte,
llamaría como un tubo lleno de viento o llanto,
o una botella echando espanto a borbotones.

Así es, y los relámpagos cubrirían tus trenzas
y la lluvia entraría por tus ojos abiertos
a preparar el llanto que sordamente encierras,
y las alas negras del mar girarían en torno
de ti, con grandes garras, y graznidos, y vuelos.

Quieres ser el fantasma que sople, solitario,
cerca del mar su estéril, triste instrumento?
Si solamente llamaras,
su prolongado son, su maléfico pito,
su orden de olas heridas,
alguien vendría acaso,
alguien vendría,
desde las cimas de las islas, desde el fondo rojo del mar,
alguien vendría, alguien vendría.

Alguien vendría, sopla con furia,
que suene como sirena de barco roto,
como lamento,
como un relincho en medio de la espuma y la sangre,
como un agua feroz mordiéndose y sonando.

En la estación marina
su caracol de sombra circula como un grito,
los pájaros del mar lo desestiman y huyen,
sus listas de sonido, sus lúgubres barrotes
se levantan a orillas del océano solo.

[RST-II]

*El sur del océano*

De consumida sal y garganta en peligro
están hechas las rosas del océano solo,
el agua rota sin embargo,
y pájaros temibles,
y no hay sino la noche acompañada
del día, y el día acompañado
de un refugio, de una
pezuña, del silencio.

En el silencio crece el viento
con su hoja única y su flor golpeada,
y la arena que tiene sólo tacto y silencio,
no es nada, es una sombra,
una pisada de caballo vago,
no es nada sino una ola que el tiempo ha recibido,
porque todas las aguas van a los ojos fríos
del tiempo que debajo del océano mira.

Ya sus ojos han muerto de agua muerta y palomas,
y son dos agujeros de latitud amarga
por donde entran los peces de ensangrentados dientes
y las ballenas buscando esmeraldas,
y esqueletos de pálidos caballeros deshechos
por las lentas medusas, y además
varias asociaciones de arrayán venenoso,
manos aisladas, flechas,
revólveres de escama,
interminablemente corren por sus mejillas
y devoran sus ojos de sal destituida.

Cuando la luna entrega sus naufragios,
sus cajones, sus muertos

cubiertos de amapolas masculinas,
cuando en el saco de la luna caen
los trajes sepultados en el mar,
con sus largos tormentos, sus barbas derribadas,
sus cabezas que el agua y el orgullo pidieron para siempre,
en la extensión se oyen caer rodillas
hacia el fondo del mar traídas por la luna
en su saco de piedra gastado por las lágrimas
y por las mordeduras de pescados siniestros.

Es verdad, es la luna descendiendo
con crueles sacudidas de esponja, es, sin embargo,
la luna tambaleando entre las madrigueras,
la luna carcomida por los gritos del agua,
los vientres de la luna, sus escamas
de acero despedido: y desde entonces
al final del océano desciende,
azul y azul, atravesada por azules,
ciegos azules de materia ciega,
arrastrando su cargamento corrompido,
buzos, maderas, dedos,
pescadora de la sangre que en las cimas del mar
ha sido derramada por grandes desventuras.

Pero hablo de una orilla, es allí donde azota
el mar con furia y las olas golpean
los muros de ceniza. Qué es esto? Es una sombra?
No es la sombra, es la arena de la triste república,
es un sistema de algas, hay alas, hay
un picotazo en el pecho del cielo:
oh superficie herida por las olas,
oh manantial del mar,
si la lluvia asegura tus secretos, si el viento interminable
mata los pájaros, si solamente el cielo,
sólo quiero morder tus costas y morirme,

sólo quiero mirar la boca de las piedras
por donde los secretos salen llenos de espuma.

Es una región sola, ya he hablado
de esta región tan sola,
donde la tierra está llena de océano,
y no hay nadie sino unas huellas de caballo,
no hay nadie sino el viento, no hay nadie
sino la lluvia que cae sobre las aguas del mar,
nadie sino la lluvia que crece sobre el mar.

                                                [RST-II]

*Walking around*

Sucede que me canso de ser hombre.
Sucede que entro en las sastrerías y en los cines
marchito, impenetrable, como un cisne de fieltro
navegando en un agua de origen y ceniza.

El olor de las peluquerías me hace llorar a gritos.
Sólo quiero un descanso de piedras o de lana,
sólo quiero no ver establecimientos ni jardines,
ni mercaderías, ni anteojos, ni ascensores.

Sucede que me canso de mis pies y mis uñas
y mi pelo y mi sombra.
Sucede que me canso de ser hombre.

Sin embargo sería delicioso
asustar a un notario con un lirio cortado
o dar muerte a una monja con un golpe de oreja.

Sería bello
ir por las calles con un cuchillo verde
y dando gritos hasta morir de frío.

No quiero seguir siendo raíz en las tinieblas,
vacilante, extendido, tiritando de sueño,
hacia abajo, en las tripas mojadas de la tierra,
absorbiendo y pensando, comiendo cada día.

No quiero para mí tantas desgracias.
No quiero continuar de raíz y de tumba,
de subterráneo solo, de bodega con muertos
ateridos, muriéndome de pena.

Por eso el día lunes arde como el petróleo
cuando me ve llegar con mi cara de cárcel,
y aúlla en su transcurso como una rueda herida,
y da pasos de sangre caliente hacia la noche.

Y me empuja a ciertos rincones, a ciertas casas húmedas,
a hospitales donde los huesos salen por la ventana,
a ciertas zapaterías con olor a vinagre,
a calles espantosas como grietas.

Hay pájaros de color de azufre y horribles intestinos
colgando de las puertas de las casas que odio,
hay dentaduras olvidadas en una cafetera,
hay espejos
que debieran haber llorado de vergüenza y espanto,
hay paraguas en todas partes, y venenos, y ombligos.

Yo paseo con calma, con ojos, con zapatos,
con furia, con olvido,
paso, cruzo oficinas y tiendas de ortopedia,
y patios donde hay ropas colgadas de un alambre:

calzoncillos, toallas y camisas que lloran
lentas lágrimas sucias.

[*RST-II*]


*La calle destruida*


Por el hierro injuriado, por los ojos del yeso
pasa una lengua de años diferentes
del tiempo. Es una cola
de ásperas crines, unas manos de piedra llenas de ira,
y el color de las casas enmudece, y estallan
las decisiones de la arquitectura,
un pie terrible ensucia los balcones:
con lentitud, con sombra acumulada,
con máscaras mordidas de invierno y lentitud,
se pasean los días de alta frente
entre casas sin luna.

El agua y la costumbre y el lodo blanco
que la estrella despide, y en especial
el aire que las campanas han golpeado con furia
gastan las cosas, tocan
las ruedas, se detienen
en las cigarrerías,
y crece el pelo rojo con las cornisas
como un largo lamento, mientras a lo profundo
caen llaves, relojes,
flores asimiladas al olvido.

Dónde está la violeta recién parida? Dónde
la corbata y el virginal céfiro rojo?
Sobre las poblaciones

una lengua de polvo podrido se adelanta
rompiendo anillos, royendo pintura,
haciendo aullar sin voz las sillas negras,
cubriendo los florones del cemento, los baluartes
de metal destrozado,
el jardín y la lana, las ampliaciones de fotografías ardientes
heridas por la lluvia, la sed de las alcobas, y los grandes
carteles de los cines en donde luchan
la pantera y el trueno,
las lanzas del geranio, los almacenes llenos de miel perdida,
la tos, los trajes de tejido brillante,
todo se cubre de un sabor mortal
a retroceso y humedad y herida.

Tal vez las conversaciones anudadas, el roce de los cuerpos,
la virtud de las fatigadas señoras que anidan en el humo,
los tomates asesinados implacablemente,
el paso de los caballos de un triste regimiento,
la luz, la presión de muchos dedos sin nombre
gastan la fibra plana de la cal,
rodean de aire neutro las fachadas
como cuchillos: mientras
el aire del peligro roe las circunstancias,
los ladrillos, la sal se derrama como agua
y los carros de gordos ejes tambalean.

Ola de rosas rotas y agujeros! Futuro
de la vena olorosa! Objetos sin piedad!
Nadie circule! Nadie abra los brazos
dentro del agua ciega!
Oh movimiento, oh nombre malherido,
oh cucharada de viento confuso
y color azotado! Oh herida en donde caen
hasta morir las guitarras azules!

                                              [RST-II]

*Melancolía en las familias*

Conservo un frasco azul,
dentro de él una oreja y un retrato:
cuando la noche obliga
a las plumas del búho,
cuando el ronco cerezo
se destroza los labios y amenaza
con cáscaras que el viento del océano a menudo perfora,
yo sé que hay grandes extensiones hundidas,
cuarzo en lingotes,
cieno,
aguas azules para una batalla,
mucho silencio, muchas
vetas de retrocesos y alcanfores,
cosas caídas, medallas, ternuras,
paracaídas, besos.

No es sino el paso de un día hacia otro,
una sola botella andando por los mares,
y un comedor adonde llegan rosas,
un comedor abandonado
como una espina: me refiero
a una copa trizada, a una cortina, al fondo
de una sala desierta por donde pasa un río
arrastrando las piedras. Es una casa
situada en los cimientos de la lluvia,
una casa de dos pisos con ventanas obligatorias
y enredaderas estrictamente fieles.

Voy por las tardes, llego
lleno de lodo y muerte,
arrastrando la tierra y sus raíces,
y su vaga barriga en donde duermen

cadáveres con trigo,
metales, elefantes derrumbados.

Pero por sobre todo hay un terrible,
un terrible comedor abandonado,
con las alcuzas rotas
y el vinagre corriendo debajo de las sillas,
un rayo detenido de la luna,
algo oscuro, y me busco
una comparación dentro de mí:
tal vez es una tienda rodeada por el mar
y paños rotos goteando salmuera.
Es sólo un comedor abandonado,
y alrededor hay extensiones,
fábricas sumergidas, maderas
que sólo yo conozco,
porque estoy triste y viajo,
y conozco la tierra, y estoy triste.

                                                                            [*RST-II*]


## Enfermedades en mi casa


Cuando el deseo de alegría con sus dientes de rosa
escarba los azufres caídos durante muchos meses
y su red natural, sus cabellos sonando
a mis habitaciones extinguidas con ronco paso llegan,
allí la rosa de alambre maldito
golpea con arañas las paredes
y el vidrio roto hostiliza la sangre,
y las uñas del cielo se acumulan,
de tal modo que no se puede salir, que no se puede dirigir
un asunto estimable,

es tanta la niebla, la vaga niebla cagada por los pájaros,
es tanto el humo convertido en vinagre
y el agrio aire que horada las escalas:
en ese instante en que el día se cae con las plumas
          deshechas,
no hay sino llanto, nada más que llanto,
porque sólo sufrir, solamente sufrir,
y nada más que llanto.

El mar se ha puesto a golpear por años una pata de pájaro,
y la sal golpea y la espuma devora,
las raíces de un árbol sujetan una mano de niña,
las raíces de un árbol más grande que una mano de niña,
más grande que una mano del cielo,
y todo el año trabajan, cada día de luna
sube sangre de niña hacia las hojas manchadas por la luna,
y hay un planeta de terribles dientes
envenando el agua en que caen los niños,
cuando es de noche, y no hay sino la muerte,
solamente la muerte, y nada más que el llanto.

Como un grano de trigo en el silencio, pero
a quién pedir piedad por un grano de trigo?
Ved cómo están las cosas: tantos trenes,
tantos hospitales con rodillas quebradas,
tantas tiendas con gentes moribundas:
entonces, cómo?, cuándo?
a quién pedir por unos ojos del color de un mes frío,
y por un corazón del tamaño del trigo que vacila?

No hay sino ruedas y consideraciones,
alimentos progresivamente distribuidos,
líneas de estrellas, copas
en donde nada cae, sino sólo la noche,
nada más que la muerte.

Hay que sostener los pasos rotos.
Cruzar entre tejados y tristezas mientras arde
una cosa quemada con llamas de humedad,
una cosa entre trapos tristes como la lluvia,
algo que arde y solloza,
un síntoma, un silencio.
Entre abandonadas conversaciones y objetos respirados,
entre las flores vacías que el destino corona y abandona,
hay un río que cae en una herida,
hay el océano golpeando una sombra de flecha
          quebrantada,
hay todo el cielo agujereando un beso.

Ayudadme, hojas que mi corazón ha adorado en silencio,
ásperas travesías, inviernos del sur, cabelleras
de mujeres mojadas en mi sudor terrestre,
luna del sur del cielo deshojado,
venid a mí con un día sin dolor,
con un minuto en que pueda reconocer mis venas.
Estoy cansado de una gota,
estoy herido en solamente un pétalo,
y por un agujero de alfiler sube un río de sangre sin
          consuelo,
y me ahogo en las aguas del rocío que se pudre en la
          sombra,
y por una sonrisa que no crece, por una boca dulce,
por unos dedos que el rosal quisiera
escribo este poema que sólo es un lamento,
solamente un lamento.

                                        [RST-II]


*Agua sexual*


Rodando a goterones solos,
a gotas como dientes,

a espesos goterones de mermelada y sangre,
rodando a goterones
cae el agua,
como una espada en gotas,
como un desgarrador río de vidrio,
cae mordiendo,
golpeando el eje de la simetría, pegando en las costuras
        del alma,
rompiendo cosas abandonadas, empapando lo oscuro.

Solamente es un soplo, más húmedo que el llanto,
un líquido, un sudor, un aceite sin nombre,
un movimiento agudo,
haciéndose, espesándose,
cae el agua,
a goterones lentos,
hacia su mar, hacia su seco océano,
hacia su ola sin agua.

Veo el verano extenso, y un estertor saliendo de un
        granero,
bodegas, cigarras,
poblaciones, estímulos,
habitaciones, niñas
durmiendo con las manos en el corazón,
soñando con bandidos, con incendios,
veo barcos,
veo árboles de médula
erizados como gatos rabiosos,
veo sangre, puñales y medias de mujer,
y pelos de hombre,
veo camas, veo corredores donde grita una virgen,
veo frazadas y órganos y hoteles.

Veo los sueños sigilosos,
admito los postreros días,

y también los orígenes, y también los recuerdos,
como un párpado atrozmente levantado a la fuerza
estoy mirando.

Y entonces hay este sonido:
un ruido rojo de huesos,
un pegarse de carne,
y piernas amarillas como espigas juntándose.
Yo escucho entre el disparo de los besos,
escucho, sacudido entre respiraciones y sollozos.

Estoy mirando, oyendo,
con la mitad del alma en el mar y la mitad del alma en la
          tierra,
y con las dos mitades del alma miro el mundo.

Y aunque cierre los ojos y me cubra el corazón
          enteramente,
veo caer agua sorda,
a goterones sordos.
Es como un huracán de gelatina,
como una catarata de espermas y medusas.
Veo correr un arco iris turbio.
Veo pasar sus aguas a través de los huesos.

                                                    [RST-II]


*Entrada a la madera*


Con mi razón apenas, con mis dedos,
con lentas aguas lentas inundadas,
caigo al imperio de los nomeolvides,
a una tenaz atmósfera de luto,

a una olvidada sala decaída,
a un racimo de tréboles amargos.

Caigo en la sombra, en medio
de destruidas cosas,
y miro arañas, y apaciento bosques
de secretas maderas inconclusas,
y ando entre húmedas fibras arrancadas
al vivo ser de substancia y silencio.

Dulce materia, oh rosa de alas secas,
en mi hundimiento tus pétalos subo
con pies pesados de roja fatiga,
y en tu catedral dura me arrodillo
golpeándome los labios con un ángel.

Es que soy yo ante tu color de mundo,
ante tus pálidas espadas muertas,
ante tus corazones reunidos,
ante tu silenciosa multitud.

Soy yo ante tu ola de olores muriendo,
envueltos en otoño y resistencia:
soy yo emprendiendo un viaje funerario
entre sus cicatrices amarillas:

soy yo con mis lamentos sin origen,
sin alimentos, desvelado, solo,
entrando oscurecidos corredores,
llegando a tu materia misteriosa.

Veo moverse tus corrientes secas,
veo crecer manos interrumpidas,
oigo tus vegetales oceánicos
crujir de noche y furia sacudidos,

y siento morir hojas hacia adentro,
incorporando materiales verdes
a tu inmovilidad desamparada.

Poros, vetas, círculos de dulzura,
peso, temperatura silenciosa,
flechas pegadas a tu alma caída,
seres dormidos en tu boca espesa,
polvo de dulce pulpa consumida,
ceniza llena de apagadas almas,
venid a mí, a mi sueño sin medida,
caed en mi alcoba en que la noche cae
y cae sin cesar como agua rota,
y a vuestra vida, a vuestra muerte asidme,
a vuestros materiales sometidos,
a vuestras muertas palomas neutrales,
y hagamos fuego, y silencio, y sonido,
y ardamos, y callemos, y campanas.

[RST-II]

*No hay olvido (sonata)*

Si me preguntáis en dónde he estado
debo decir «Sucede».
Debo de hablar del suelo que oscuren las piedras,
del río que durando se destruye:
no sé sino las cosas que los pájaros pierden,
el mar dejado atrás, o mi hermana llorando.
Por qué tantas regiones, por qué un día
se junta con un día? Por qué una negra noche
se acumula en la boca? Por qué muertos?

Si me preguntáis de dónde vengo, tengo que conversar con
          cosas rotas,
con utensilios demasiado amargos,
con grandes bestias a menudo podridas
y con mi acongojado corazón.


No son recuerdos los que se han cruzado
ni es la paloma amarillenta que duerme en el olvido,
sino caras con lágrimas,
dedos en la garganta,
y lo que se desploma de las hojas:
la oscuridad de un día transcurrido,
de un día alimentado con nuestra triste sangre.


He aquí violetas, golondrinas,
todo cuanto nos gusta y aparece
en las dulces tarjetas de larga cola
por donde se pasean el tiempo y la dulzura.


Pero no penetremos más allá de esos dientes,
no mordamos las cáscaras que el silencio acumula,
porque no sé qué contestar:
hay tantos muertos,
y tantos malecones que el sol rojo partía,
y tantas cabezas que golpean los buques,
y tantas manos que han encerrado besos,
y tantas cosas que quiero olvidar.

                                              [*RST-II*]


*Josie Bliss*


Color azul de exterminadas fotografías,
color azul con pétalos y paseos al mar,

nombre definitivo que cae en las semanas
con un golpe de acero que las mata.

Qué vestido, qué primavera cruza,
qué mano sin cesar busca senos, cabezas?
El evidente humo del tiempo cae en vano,
en vano las estaciones,
las despedidas donde cae el humo,
los precipitados acontecimientos que esperan con espada:
de pronto hay algo,
como un confuso ataque de pieles rojas,
el horizonte de la sangre tiembla, hay algo,
algo sin duda agita los rosales.

Color azul de párpados que la noche ha lamido,
estrellas de cristal desquiciado, fragmentos
de piel y enredaderas sollozantes,
color que el río cava golpeándose en la arena,
azul que ha preparado las grandes gotas.
Tal vez sigo existiendo en una calle que al aire hace llorar
con un determinado lamento lúgubre de tal manera
que todas las mujeres visten de sordo azul:
yo existo en ese día repartido,
existo allí como una piedra pisada por un buey,
como un testigo sin duda olvidado.

Color azul de ala de pájaro de olvido,
el mar completamente ha empapado las plumas,
su ácido degradado, su ola de peso pálido
persigue las cosas hacinadas en los rincones del alma,
y en vano el humo golpea las puertas.

Ahí están, ahí están
los besos arrastrados por el polvo junto a un triste navío,

ahí están las sonrisas desaparecidas, los trajes que una
    mano
sacude llamando el alba:
parece que la boca de la muerta no quiere morder rostros,
dedos, palabras, ojos:
ahí están otra vez como grandes peces que completan el
    cielo
con su azul material vagamente invencible.

[*RST-II*]

IV

1935-1945

El poema «Vals» (TER, *Tercera residencia*) abre una crisis diferente en la trayectoria del hablante nerudiano [33]. Diferente porque por primera vez la eventualidad de un cambio en la estructura del yo lírico no proviene directamente de un impulso individuable en los textos sino de alguna imprecisada solicitación exterior [34]. La fuerza de tal solicitación es proporcional al carácter extremado de la resistencia que el ha-

[33] Los textos del nuevo ciclo (1935-1945) serán escritos sucesivamente en España (1934-1936), en Francia y en Chile (1936-1940), en México (1940-1943) y otra vez en Chile (1943-1945). Comprenden: 1, toda TER; 2, los *prólogos* o notas editoriales de la revista *Caballo Verde para la Poesía,* 1-4 (1935-1936), «La copa de sangre» (1938) y otros textos en prosa recogidos en PNN; 3, los capítulos II, VI y VII de CGN y algunos textos intercalados en otros capítulos del mismo libro (cfr. Loyola 1978b); 4, «Viaje al corazón de Quevedo» (1939, 1944) y «Viaje por las costas del mundo» (1944), prosas recogidas en VJS.

[34] Desde nuestro punto de vista, no interesa si A. Alonso tiene razón o no al sospechar que «Vals» aluda a probables requerimientos «de que Neruda cambiara su poesía ensimismada por otra de solidaridad y combate social» (Alonso 1951: 317, n.). Impor-

blante le opone, cuyo método es la confirmación *unilateral* del aspecto negativo de la experiencia anterior (en nuestro código: la degradación) y el silencio sobre las posibilidades de solución entrevistas o vislumbradas o anheladas. El hablante de «Vals» no reafirma explícitamente al hablante de RST (como supone Alonso), sino que lo niega, precisamente al negarse a sí mismo como sujeto problemático. «Dejadme en medio de mi propia luna, / en mi terreno herido»: no hay nada que hacer, no hay solución posible: el yo lírico de RST *(Residencia en la tierra)* se define justamente por su incapacidad para aceptar tales fórmulas de derrota definitiva. La repróposición de motivos característicos de RST (ej. «vivo de pronto y otras veces sigo») ocurre en «Vals» al margen de la dialéctica residenciaria. «No soy, no sirvo, no conozco a nadie», declara el hablante, sin agregar aquel *pero* o aquel *sin embargo* que, explícitos o implícitos, constituyen en RST el signo de su problematicidad (cfr. «Walking around»). En «Vals» advertimos un signo (implícito) de orientación opuesta: no soy, no sirvo, no tengo tiempo: *luego,* no me busquéis, no me llaméis, no preguntéis mi nombre ni mi estado. En el contexto de la diacronía del hablante tales apóstrofes de rechazo recuperan su sentido y pueden ser leídos como enmascaramiento del conflicto, como ambigua y exasperada retórica de resistencia frente a una solicitación al mismo tiempo atractiva y temible. Pueden ser leídos también como autoapóstrofes [35].

La disposición misma de los textos sucesivos de TER parece establecer los hitos progresivos de una solución. «Bruselas» reafirma la soledad del yo pero ensaya una oferta en sordina: «de todo lo que he hecho, de todo lo que he perdido, / de todo lo que he ganado sobresaltadamente, / en hierro amargo, en hojas, puedo ofrecer un poco», como quien se disminuye prudentemente para que nadie espere demasia-

---

ta, en cambio, examinar cómo se inserta en la diacronía del hablante esta actitud inicial de retroceso y resistencia frente a una amenaza de modificación.

[35] El título «Vals» podría querer sugerir oscilación, vacilación, pendularidad del ánimo.

do de él. El texto que sigue indica una imprevista pero directa tentativa de acercamiento y apóstrofe al *otro,* al prójimo no individualizado ni por el amor ni por la amistad: «Te pregunto: / a nadie, a ti, a lo que eres... / ... / Yo no sé, yo sólo sufro de no saber quién eres / ... / Te busco, busco tu efigie...» ¿Una inédita *salida* del hablante? [36]. Si nuestra lectura es correcta, el título de este texto —«El abandonado»— no sería entonces una autoalusión [37], sino un modo bien significativo de aludir al *otro,* al hombre sin rostro, nunca visto ni escuchado —¿abandonado?— hasta aquí por el poeta: «Qué hoja al caer no fue para mí un libro largo / de palabras por *alguien* dirigidas y amadas? / ... / Eres, eres tal vez, *el hombre o la mujer* / o la ternura que no descifró nada.»

Ese hombre y esa mujer no individualizados, claramente *el hombre* [38], reaparecen en el poema sucesivo: «cuando el trigo endurece sus pequeñas caderas y levanta su rostro de mil manos, / a la enramada donde la mujer y el hombre se enlazan acudo, / para tocar el mar innumerable / de lo que continúa» («Naciendo en los bosques») [39]. El tropismo hacia el *otro* no sólo aleja del hablante la angustiosa discontinuidad del tiempo sino que determina una reordenación general de valores al interior de su mundo. El motivo de la lluvia, por ejemplo, que aquí reemerge no ya en vínculo con la caída infecunda sino con el crecimiento de retorno. Las gotas de lluvia («Agua sexual», RST) mutan ahora en granos de arroz

---

[36] *Salida,* en el sentido de «salida de sí mismo», hacia afuera, como en «Exégesis y soledad», 1924 (PNN, 25).

[37] Como lo era en «La canción desesperada», VPA.

[38] Adviértase cómo tiende a quedar atrás la concepción residenciaria del *otro,* del hombre en sociedad, concepción de raíz romántica que sitúa a los seres humanos (no individualizados por el amor o la amistad) en dos campos: por un lado, el sector *prosaico,* apoético, rutinario (poblado de notarios, sastres, monjas, abogados, dentistas, boxeadores, sacerdotes, tahúres, mendigos, empleados, profesores, etc.); por otro lado, el sector *poético* (habitado por niños, novias, enamorados, adúlteros, doncellas; amigos, compañeros; marineros, guitarreros, poetas). Ya en RST era importante la tendencia a definir al otro por su actividad social, por su trabajo. Cfr. Loyola 1967.

[39] Temprana proposición de motivos que reaparecerán especialmente en CGN, «Alturas de Macchu Picchu», ii.

o de trigo [40]. Se ha puesto en movimiento una nueva etapa
en el sistema de autorrepresentación. Hay en el hablante un
sentimiento de cambio, de frontera alcanzada, de nacimiento
en suma: «porque para nacer he nacido». La retórica del autorretrato en mutación reintroduce elementos claves del espacio mítico de la infancia —bosque, lluvia— que patrocinen
la propuesta de una nueva imagen del yo, propuesta que comienza con una operación de exorcismo, con un enfático *no
soy*: «yo no soy hermano del utensilio llevado en la marea
/ ... / no puede ser, no soy el pasajero / ...».

«Reunión bajo las nuevas banderas» repropone la metamorfosis del yo en otro registro, con modulación pública y
solemne enfatizada por la alternancia de interrogantes y apóstrofes. La oposición básica del poema anterior —pasado /
presente del yo— se ofrece en este texto en disposición ana-
lítica. Por una parte, la *crítica* del pasado del yo se centra
en su quehacer, en su obra («averigüé lo amargo de la tierra: / todo fue para mí noche o relámpago», etc.), mientras
el *exorcismo* de ese pasado tiende a liberar al yo de su extravío y a restituirlo a su perdida unidad («ya era tiempo,
huid, / sombras de sangre, / hielos de estrellas, retroceded
al paso de los pasos humanos / y alejad de mis pies la negra sombra!»). Por otra parte, el presente del yo se configura,
más explícitamente que en «Naciendo en los bosques», como
tentativa de autorrepresentación, distinguiendo entre la *imagen* («... mirad este rostro / recién salido de la sal terrible»)
y lo que podríamos llamar el *programa* del nuevo yo: «y así,
reunido, / duramente central, no busco asilo / en los huecos
del llanto: muestro / la cepa de la abeja».


La nueva tentativa hacia el autorretrato enfrenta dificultades inéditas para el hablante que, sin embargo, son conse-

---

[40] Este aspecto ha sido espléndidamente examinado por Sicard
1977, II, iv: «Thème de la goutte et de la graine» (225-237).
A propósito de «Naciendo en los bosques» Sicard resume: «Est
un texte où l'univers residenciaire s'ouvre à l'histoire. C'est aussi
le texte où la goutte devient graine» (235).

cuencia de las mismas condiciones estructurales conquistadas
por su tenacidad. El problema central es que el espacio personal por representar, y contra el cual el hablante *necesita*
(desde VPA) diseñarse, sin dejar de ser personal ha devenido espacio histórico. La forma que este espacio personal
*historizado* asume en los textos de Neruda aparece inicialmente determinada por la presión externa de la guerra civil
española, primero, y de la guerra mundial antifascista después [41]. Así, en «España en el corazón» (TER), el espacio se
fragmenta en un nuevo orden de oposiciones: amor / odio;
lealtad / traición, geranios-pan-merluzas-aceite / fuego-pólvo-
ra-aviones-sangre; generales-moros-frailes-duquesas / milicia-
nos-niños-obreros-madres; España del pueblo / España de los
ricos; defensores / ofensores de la tierra; hermanos / enemigos, etc. La degradación no es ya aceptada como condición
de la realidad en el espacio propio, que quiere ser espacio de
todos, sino en el ámbito del enemigo. La figura básica del
testigo deviene entonces la de un testigo solidario / acusador.
La sobrecarga de *profecía* liberada, sin control suficiente todavía, determina en el lenguaje del hablante —a partir de
«España en el corazón»— esporádicas erupciones de violencia, excesos, imprecaciones. La traición lo ha tocado directamente y eso «explica algunas cosas», explica la vehemencia y
la inmediatez del discurso poético, la atención hacia nuevos
asuntos, pero el descubrimiento de que el hombre es también
historia explica además importantes aspectos de la nueva figura del yo. «Canto sobre unas ruinas» comporta un cambio
de signo, o mejor, un ajustamiento de valoración en dos categorías decisivas: el tiempo y el trabajo. El tiempo no es
visto ya más como factor de corrosión sino como lugar de
agregación y materialización del esfuerzo humano. Las ruinas

---

[41] Otros niveles de la experiencia española de Neruda inciden
en el nuevo autodiseño del yo. Así las experiencias de amistad,
de amor y de lectura. Quevedo, por ejemplo: «Quevedo fue para
mí la roca tumultuosamente cortada, la superficie sobresaliente y
cortante sobre un fondo de color de arena, sobre *un paisaje histórico que recién me comenzaba a nutrir*» («Viaje al corazón de
Quevedo»: texto de 1939, reelaborado en 1944 y después recogido en VJS).

de la ciudad bombardeada no certifican al yo —como las ruinas de Itálica a Rodrigo Caro— la futilidad e insensatez del trabajo constructivo de los hombres sino, por el contrario, su oscura grandeza. Desde esta nueva óptica los elementos de la cotidianidad humana —objetos, utensilios, papeles, sueños, incluso el «llanto abominable»— se disponen ante el yo como factores de una resultante en última instancia positiva. En RST el *uso* de los objetos venía experimentado por el yo principalmente —y dolorosamente— como usura y desintegración en el tiempo, como signo de un lento e inexplicable suicidio del mundo (cfr. Alonso, 1951). «Canto sobre unas ruinas», en cambio, y sin negar la contradicción, privilegia en el uso de las cosas la huella del trabajo y del existir mismo de los hombres, una agregación de vida que restituye y ennoblece la erosión [42]. Estas ruinas equivalen así a «la sangre por las calles»: son también indicios de un crimen: «todo reunido en nada, todo caído / para no nacer nunca».

Es en «España en el corazón» que la autobiografía pública de Neruda hace su ingreso como factor explícitamente determinante de cambios en el sistema de autorrepresentación del hablante y, por lo tanto, en su poética (como lo evidencia el texto «Explico algunas cosas»). Esto significa que, desde ahora, el autodiseño del yo comienza a recortarse contra la representación correspondiente de un espacio personal condicionado por la historia. Lo que hemos llamado sustantivación del entorno —polo irrenunciable de la dialéctica del autorretrato desde VPA— supone entonces condiciones de textualización completamente nuevas en cuanto comportan: por un lado una reducción de la autonomía subjetiva del hablante en la traducción poética de lo real, por otro lado una violenta expansión del espacio poético posible. El hablante ya no tendrá que hacer cuentas sólo con lo que *arriba* a su percepción, a su sensibilidad (como postulaba el prólogo a HYE), sino también con lo que la realidad externa, aceptada ahora en otros términos, les *impone*. Al erotismo o a la fide-

---

[42] A nivel de poética, este cambio de perspectiva encuentra explícita formulación en el texto de 1935 «Sobre una poesía sin pureza» (PNN, 140-141; OCP, III, 636-637).

lidad del testigo (RST) se sustituye desde ahora la respon-
sabilidad consciente del testigo: los *deberes* del poeta, como
acostumbrará escribir más adelante Neruda.

Continuidad y metamorfosis del testigo, desarrollo y ruptura del yo lírico coexisten así en este ciclo elaborativo del
autorretrato nerudiano, que coincide con el período de composición de TER y parte de CGN *(Canto general)* y que
ofrece netas diferencias con el ciclo sucesivo (1946-1956).
Alonso, 1951, no llega a comprender que el testigo solida-
rio/acusador de TER es sólo un fragmento de un yo que
aspira a una integración mayor, a una unidad de más amplio
respiro. La asunción de una cierta política, la adhesión a una
cierta causa no explican todo lo que sucede en la poesía
de Neruda entre 1935 y 1945. En 1938 el texto «La copa de
sangre» (PNN, 159-160) preludia un proyecto poético muy
distante de «España en el corazón», así en la superficie política como en la temperatura del lenguaje, pero al mismo
tiempo próximo: iba a llamarse *Canto general de Chile*. Para
Neruda la experiencia de España no es sólo la guerra civil:
es también Quevedo, García Lorca, Alberti, Delia del Carril.
Cada uno de ellos ha aportado materiales al puente que está
conduciendo al hablante hacia un redescubrimiento del sur
de la infancia, de Chile entero y, más adelante, de América
Latina [43]. Si en «España en el corazón» el poeta escribe «para
*un* pueblo» (Concha, 1974: 86), en su proyectado canto general de Chile aspira ciertamente a escribir para *su* pueblo y,
en definitiva, para *el* pueblo. A lo largo de este ciclo, sin
embargo, el discurso poético evoluciona en relación a dos
espacios textualizados separadamente: Europa y América.
A estos dos espacios corresponden en la autorrepresentación
del yo dos figuras genéricas, propuestas también como des-
arrollos separados: 1, *el testigo solidario/acusador,* que deviene con creciente nitidez *combatiente antifascista* en la

---

[43] La conexión entre España y América apunta en «Viaje al corazón de Quevedo» (VJS) y es explícita en estos versos de 1941:
«Yo conocí a Bolívar una mañana larga, / en Madrid, en la boca
del Quinto Regimiento» (TER, «Un canto para Bolívar»).

medida en que la guerra civil española se prolonga como
segunda guerra mundial; 2, *el cronista americano,* cuya tarea
se fragmenta a su vez en diversas operaciones paralelas, más
o menos autónomas: a) revelación de la naturaleza chilena y
—después— americana (fauna, botánica, minerales, lluvia,
ríos, océano, pampa, etc.); b) evocación crónico-lírica del pasado histórico colectivo (sólo de Chile en este ciclo, con la
excepción de «Un canto para Bolívar»); c) manifestación de
la presencia-existencia del pueblo chileno y —después— la-
tinoamericano, principalmente en dos direcciones: como elo-
gio de la creatividad popular (folklore, artesanía) y como
lamento-denuncia de la pobreza, desgracias y sufrimientos
del pueblo. Los textos nerudianos de este ciclo proponen así
dos comportamientos básicos del hablante: en relación al
espacio Europa, actitud de combate; en relación al espacio
América, actitud de revelación y manifestación [44]. Tentativas
de integración (de espacios, figuras y actitudes) son adverti-
bles en los textos «Un canto para Bolívar», 1941 (TER),
«Dura elegía», 1943 (TER) y «Obreros marítimos», 1942
(CGN, VI, xvi). Pero lo que define a este período, en cuanto tentativa de autodiseño, es el paralelismo, la no integración de las líneas de evolución del yo, las cuales sólo en el
ciclo sucesivo alcanzarán fórmulas de convergencia.

Después de «España en el corazón» la línea del *testigo
solidario/acusador* textualiza su desarrollo en la sección V de
TER, en relación con el curso de la segunda guerra mundial
(particularmente en el llamado frente ruso u oriental). El yo
fragmenta en esos textos la implícita figura del poeta combatiente antifascista. Las fórmulas explícitas son perifrásticas
y circunstanciales: «nací para cantar a Stalingrado». Son también circunstanciales, y correspondientes, las fórmulas con que

---

[44] La representación (poética) explícita de la lucha de clases, de
la batalla antiimperialista y antioligárquica en Chile y en América
Latina (es decir: el hablante en actitud de combate en relación
al espacio América), no aparece francamente en los textos de Neruda anteriores al soneto «Salitre», a la prosa «Viaje al norte de
Chile» (VJS) y al capítulo «Las flores de Punitaqui» (CGN, IX),
todos escritos en 1946.

Neruda se autodefine desde el exterior de su poesía: «A una entrevista que se me hizo en Colombia sobre cuáles eran mis proyectos en poesía, respondí que ellos tomarían la forma de los sucesos de esta época. No soy un poeta —contesté—: en este momento soy una *ametralladora* y disparo cuando es necesario [45].»

La figura del *cronista americano* requerirá una elaboración más compleja. Se ha establecido que entre agosto y septiembre de 1938 escribe Neruda «La copa de sangre» y algunos poemas que inician la larga composición de *Canto general* (1938-1949). Franco, 1975, hace notar que este libro es inicialmente concebido como un descenso órfico a las raíces de Chile y como participación de esta experiencia a quienes no ha sido dada directamente: «no habéis entrado conmigo en las fibras / que la tierra ha escondido, / no habéis vuelto a subir después de muertos / grano a grano las gradas de la arena» (CGN, VII, «Eternidad»). Consecuentemente el hablante se propone en función de vínculo privilegiado: «yo soy el nimbo metálico, la argolla» [46]. En 1939, regresando a Chile después de algunos meses de actividad en favor de los refugiados españoles, Neruda escribe un texto que establece una faz del programa del cronista: «Patria, mi patria, vuelvo hacia ti la sangre. / ... / Voy a escoger la flora delgada del nitrato, / voy a hilar el estambre glacial de la campana, / y mirando tu ilustre y solitaria espuma / un ramo litoral tejeré a tu belleza» (CGN, VII, «Himno y regreso»). Este aspecto del programa [47] comienza a cumplirse con una serie de bocetos o medallones, muy personales y controladamente celebrativos de la botánica («Peumo», «Quilas», «Drimis winterei») y de los pájaros de Chile («Chercanes», «Loica», «Chucao»), del océano, de la lluvia, pero también de los

---

[45] «Pablo Neruda habla», entrevistado por V. Teitelboim, en *El Siglo,* Santiago (5-12-1943).

[46] Pero la impostación o coloración *épica* del discurso poético, en cuanto resultado presumible del descenso órfico inicial, se hará esperar algunos años. Por ahora advertimos un cierto tono oracular en el lenguaje del hablante.

[47] El *programa* es en sí un factor importante del autorretrato en mutación: el nuevo yo es un yo *con programa.*

hombres, de los amigos («Tomás Lago», etc.) y en particular
del pueblo chileno con sus dolores («Tocopilla») y con su
creatividad («Talabartería», etc.).

El programa del hablante se expande —en términos de espacio— durante los años que Neruda transcurre en México
y en que recorre la zona del Caribe, Centroamérica, Cuba
(agosto 1940-agosto 1943). Gradualmente se abre paso en
el poeta una perspectiva continental y el canto general de
Chile comienza a tomar la forma de un canto general de
América Latina. En 1942, algunos breves poemas agrupados
bajo el título «América, no invoco tu nombre en vano»
(después: CGN, VI) intentan abarcar, por primera vez en
un ciclo unitario, la pluralidad latinoamericana. Rápidos bocetos sobre ciertos paisajes, hombres, ciudades, insectos, contradicciones, dictaduras, sufrimientos, espacios: testimonio lí-
rico-descriptivo de un continente, escrito con modulación expresiva perceptiblemente sujeta a control, a contención, como
queriendo sólo sugerir atmósfera, tonalidades, trazos, difumi-
nados movimientos y perfumes: modulación expresiva, es
claro, muy distante de la que arde en los contemporáneos
versos de trinchera (espacio Europa), pero distante también
de un tono abiertamente celebrativo. «América...» restará texto aislado, sin prosecución: lo cual es índice de los problemas de perspectiva y de lenguaje que el poeta está encaran-
do. Problemas que acusan incerteza en la concepción y construcción de CGN como consecuencia de incertezas en el
plano del autorretrato.

Otro aspecto de la misión asumida por el hablante con-
cierne a la historia. Los pasos son aquí más lentos todavía.
Los primeros textos se refieren a figuras de conquistadores
de Chile: Almagro el descubridor, Ercilla el poeta. En ellos
el lenguaje es también recatado, contenido, moviéndose entre
la crónica y la lírica. La propensión épica, que más tarde tenderá a dominar en el nivel *histórico* de CGN, hace una fugaz
aparición en el poema «Un canto para Bolívar» (1941) [48].

---

[48] El hecho de que este poema haya sido incluido en TER (1947)
y no en CGN (1950) es indicativo sobre el estado de elaboración
de CGN hacia 1946-1947.

Pero en 1942 otro bloque de poemas, «El corazón magalláni-
co» (CGN, III, xxiv), retoma los motivos históricos relativos
a la época de la Conquista y reafirma la modulación *crónico-
lírica* del lenguaje, eludiendo así una impostación épica acaso
tentadora pero que en aquel momento resulta imposible, inal-
canzable o inadecuada para el hablante. También aquí la
incerteza del autorretrato explica las diferencias de tenor expresivo entre los textos *históricos* de CGN compuestos durante este ciclo y aquéllos escritos entre 1947 y 1949, que
son la mayoría (cfr. Loyola, 1978b: 180-185).

Durante el viaje de regreso a la patria, iniciado en México
(agosto 1943), Neruda hace escala —con invitaciones, con-
ferencias, recitales, honores, polémicas— en varios países del
Pacífico: Panamá, Colombia, Ecuador y Perú, donde visitará
las ruinas de Macchu Picchu (octubre 1943). Desde su retorno a Chile, y en especial durante 1944 y primeros meses
de 1945, Neruda absorbe otra experiencia de integración a
varios niveles. Candidato independiente a senador (en la
lista comunista) por las provincias del extremo norte, Tara-
pacá y Antofagasta, el poeta vivirá más de un año en continuo e intensificado contacto con los obreros de las minas de
cobre y de salitre. Otra dimensión de Chile y de su pueblo,
opuesta a la provincia de la infancia: el desierto, el sol y los
villorrios mineros en lugar de los bosques, la lluvia y las
casas de madera.

El candidato Neftalí Reyes resulta triunfalmente electo en
marzo de 1945. Neruda ha debido usar todavía su nombre
originario para los efectos de la votación. Ese mismo 1945
inicia los trámites destinados a legalizar, para el ciudadano,
el nombre del poeta-hablante y de su Texto. El 8 de julio
asume su condición de comunista al recibir por primera vez
el carnet del partido. Y en septiembre de ese crucial 1945,
Neruda, después de muchos meses de intensa actividad pública, se retira a Isla Negra para dar forma a un poema que
lo asedia desde casi dos años.

La estructura de «Alturas de Macchu Picchu» [49] contrapone en un solo texto dos sistemas de autorrepresentación del hablante, uno referido a su experiencia actual (zona II del texto: series vi-xii) y otro que es operación de su memoria (zona I: series i-v). Esta dicotomía *presente/pasado* funciona en el texto, y simultáneamente: a) en clave de *ruptura* a nivel de representación de la obra (actividad o quehacer del yo); b) en clave de *unificación* (integración o totalización) a nivel de representación del yo. Veamos. Por un lado el hablante reconoce en su antiguo *actuar* una búsqueda equivocada, un extravío: «no pude asir sino un racimo de rostros o de máscaras» (ii), «no pude amar en cada ser un árbol / con su pequeño otoño a cuestas» (iv), «yo levanté las vendas del yodo, hundí las manos / en los pobres dolores que mataban la muerte, / y no encontré en la herida sino una racha fría» (v); y en el mismo sentido de ruptura, el yo presente se autodefine precisamente por la superación de aquel extravío y por la asunción de un *nuevo* actuar: «Traed a la copa de esta *nueva vida* / vuestros viejos dolores enterrados. / ... / Yo vengo a hablar por vuestra boca muerta» (xii). Por otro lado (unificación) el hablante rescata al antiguo yo a través del yo actual: rechazo del extravío pasado, de lo obrado por el yo, pero no rechazo de aquel yo pretérito en cuyo afán el yo presente también se reconoce: el yo de hoy («yo te interrogo, sal de los caminos») prolonga al yo de ayer («yo al férreo filo vine») al mismo tiempo que lo niega en otro plano. El texto hay que leerlo entonces como acta poética de un nacimiento o «nueva vida», es decir, como representación de una ruptura, y a la vez como proclamación de la conquistada unidad o integración de las figuras pretéritas del yo, y por lo tanto de su continuidad. Dialéctica

---

[49] Esbozamos aquí una nueva propuesta de lectura de «Alturas de Macchu Picchu», procurando tener en cuenta amables observaciones a nuestras tentativas anteriores, en especial de E. Rodríguez Monegal y de A. Sicard.

*integración/ruptura* concentrada en este verso: «ven a mi propio ser, al alba mía» (ix).

Consecuentemente, en la zona I (pasado) del texto la autoalusión dominante es el *yo* de los verbos en pretérito, contrapuesta a diversos modos de alusión al *otro:* «el hombre», «racimo de rostros o de máscaras», «el ser», «todos (desfallecieron)», «el pobre heredero de las habitaciones». Aquí el yo, cuidando la unidad textual de la propia imagen, se opone en cierto modo al otro, se distancia del otro al autodiseñarse buscador angustiado, percibidor de la muerte en el mundo, sujeto de tentativas (si bien descaminadas por el extravío) y objeto de tentaciones («la poderosa muerte me invitó muchas veces»): un yo problemático, en suma. Con diverso antagonismo y con mayor énfasis, el *yo* viene afirmado también como autoalusión dominante en la zona II (presente) del texto, frente a un *otro* inicialmente aludido en tercera persona («el hombre», «los dormidos», vi) e invocado luego en persistente apóstrofe («muertos de un solo abismo», «hermano»). Pero en esta zona II el yo no se opone, no trata de distanciarse del otro: por el contrario, su autorrepresentación tiende al contacto, a la analogía [50], a la identificación con el otro, busca superar el abismo que a pesar de ambos existe.

El autorretrato del yo en «Alturas» es entonces, y de un modo particularmente nítido, función del sistema de oposiciones *yo/otro* que el texto establece. En un primer nivel verificamos estas oposiciones temporales: a) zona I: pasado del yo / presente del otro; b) zona II: pasado del otro / presente del yo. En un segundo nivel, el texto establece —en ambas zonas— una oposición básica entre un yo *vivo* y un otro *muerto.* Pero el *yo naciente* de la zona II es desarrollo y resolución del *yo extraviado* de la zona I: las dos *vidas* del yo son una sola, se integran en la unidad del propio crecimiento, del «propio ser». En cambio, el *otro actual* (zona I) no es la prolongación del *otro pretérito* (zona II), sino su negación, su ruptura, su guillotinamiento: esto porque sus

---

[50] Por ejemplo: el hombre de Macchu Picchu es a su ciudadela como el poeta es a su poesía.

*muertes* respectivas se oponen entre sí con oposición radical: *falsa(s) muerte(s) / verdadera muerte.*

Podemos leer «Alturas de Macchu Picchu», y en acuerdo con su más aparente estructura binaria, como la proposición poética de *dos descensos órficos.* En cada una de las dos zonas básicas del texto, el hablante desarrolla el propio autodiseño (uno en pasado, otro en presente) en vínculo con un descenso a la profundidad de la muerte y con un sucesivo retorno a la superficie de la vida, al mundo actual de los hombres. La representación de cada uno de estos descensos órficos ($DO_1$ y $DO_2$) supone tres momentos claves: a) extravío precedente; b) descenso; c) retorno.

En $DO_1$ los momentos a) y b) se concentran en el primer fragmento o serie del texto. El extravío inicial aparece configurado como vacío o futilidad de una cierta existencia *pretérita* del hablante («... como una red vacía / iba yo...»): un transcurrir inmóvil, repetitivo, «un mero resbalar por la superficie del mundo» (Loveluck, 1973), apenas interrumpido por fugaces instantes de plenitud («días de fulgor vivo», etcétera). El hablante refiere luego cómo una cierta imprecisada revelación o guía [51] abrió la posibilidad a una tentativa de poner término a tal situación: un descenso a la intimidad telúrica, una experiencia de penetración endopática hasta la entraña vegetal y mineral de la naturaleza («hundí la mano turbulenta y dulce / en lo más genital de lo terrestre / ... / descendí como gota entre la paz sulfúrica») [52]. Aún deslumbrado, «como un ciego», el hablante regresa a la superficie *humana* del mundo (desde la naturaleza a la historia) para buscar en esta otra dimensión el correlato de aquella experiencia. Las series ii-v del texto proponen el fracaso del re-

[51] «Alguien que me esperó entre los violines»: uno de los versos más enigmáticos de toda la obra de Neruda. A una pregunta nuestra al respecto, el poeta respondió: «Se refiere a una experiencia amorosa.»

[52] No nos parece arbitrario asociar esta evocación a los *cantos materiales* de RST, en especial a «Entrada a la madera».

torno y de la nueva exploración, fracaso subrayado por la repetición de un gesto («hundí las manos / en los pobres dolores», etc.) que obtiene acá un resultado opuesto al anterior [53]. El retorno se configura así como réplica fallida del primer descenso. La ruptura *descenso/retorno* deviene la forma específica con que el hablante establece (al interior de la zona I del texto, es decir, al interior de su memoria) el antagonismo *naturaleza/historia* (sociedad), que a su vez refleja un radical conflicto a nivel de representación de la muerte. Desde la perspectiva actual del yo, en efecto, el antagonismo era experimentado por el yo pretérito como oposición irreductible e inexplicable entre un sistema regido por la vida y otro oprimido por la muerte. Así, en el sistema *descenso-naturaleza* se asocian la línea flor, roca, ciruelo, rocío, cereal, agua, nieve, olas, manantial, etc. (serie ii), y la línea transmisión, continuidad, herencia, «historia amarilla» (del cereal), «eterna veta», corriente, comunicación, conservación. En el sistema *retorno-historia,* en cambio, la línea hombre, ser, ciudad, autobús, fiesta, «placer humano», rostros, máscaras, «razas asustadas», almacenes, silbidos, etc. (serie ii), forma conjunto con las categorías fealdad («el hombre arruga el pétalo...»), destrucción, inautenticidad, enmascaramiento, discontinuidad, aislamiento, dispersión, incomunicación, letalidad, perecimiento, etcétera.

La representación del primer descenso órfico implica en suma: a) un extravío originario; b) un viaje a la profundidad de lo que (por analogía con el segundo descenso) podríamos llamar *verdadera muerte* en la naturaleza; c) un retorno infeliz, fracasado. Siempre desde el punto de vista del yo actual o naciente, sólo por analogía es posible hablar aquí de «verdadera muerte», puesto que en el primer descenso lo que el hablante descubre o verifica es precisamente que *en la naturaleza la muerte no existe:* la «muerte» allí forma parte de la dialéctica de la vida dominante, es sólo factor y condición de la Vida (serie ii). Esta muerte innominable e innominada, este potente signo de grado cero se

---

[53] El gesto reaparecerá, con esperanza esta vez, en la serie xi: «déjame hundir la mano».

opone en el texto (zona I) a las formas demasiado evidentes
de la *falsa muerte* en el ámbito de la sociedad humana: la
«muerte pequeña» de cada minuto (discontinuidad temporal);
la muerte personal e infecunda de cada individuo; la «pode-
dosa muerte» o «muerte grave» como dimensión-misterio de
la existencia, y en cuanto tal no desprovista de fascinación
para el antiguo yo («la poderosa muerte me invitó muchas
veces», iv) [54]. Ahora bien, en su nivel más importante de
sentido el texto subraya la insuficiencia del primer descenso
órfico puesto que no logrará impedir, al momento del retorno, el nuevo extravío del hablante, el engaño determinado
por la presencia de la falsa muerte en el ámbito humano.

La superación del nuevo extravío será posible en el texto
a través de un segundo descenso órfico ($DO_2$), esto es, del
viaje a las alturas-profundidades de la *verdadera muerte*. Al
configurar esta experiencia el hablante básico del poema, el
yo naciente, tiende primero a proponer la oposición falsa
muerte / verdadera muerte en términos de esterilidad / fecundidad (posibilidad de renacer y de perpetuar la propia
vida en el humus colectivo); en otro nivel, y más radicalmen-
te todavía, tiende a sugerir *que tampoco en el ámbito histórico existe la muerte* (por eso aquí la muerte es falsa) y que
en definitiva el antagonismo naturaleza / historia es sólo
aparente, es sólo una percepción engañosa determinada por el
extravío. De ahí que el primer descenso órfico, por cuanto
desemboca en extravío, deviene punto de partida para la representación del segundo descenso, cuyos tres momentos se
pueden por lo tanto formalizar así: $DO_2 = a$) $DO_1$ (el extravío); b) ascenso-descenso a Macchu Picchu; c) retorno a la
historia presente. A este nivel de lectura la estructura binaria
del texto se resuelve en unidad.

El momento del descenso ocupa casi todo el espacio de la
zona II. La serie vi refiere sumariamente las etapas del viaje

---

[54] Hay evidente relación entre estas formas de la falsa muerte
y las intuiciones de la muerte registradas en el pasado *textual* del
hablante, concretamente en RST.

hacia la verdadera muerte: 1) ascenso a las ruinas, destinadas
a revelar al yo el auténtico rostro del hombre («por fin morada del que lo terrestre / no escondió en las dormidas vestiduras»); 2) deixis: éste es el sitio, aquí el hombre trabajó
la tierra (maíz) y la lana (vicuña), aquí el hombre desarrolló
sus ritos, sus fatigas, sus amores, sus combates, aquí descan-
só; 3) contemplación de los vestigios («miro las vestiduras
y las manos»); 4) asunción personal de la experiencia cotidiana del *otro* pretérito («que miró con *mis* ojos... / que
aceitó con *mis* manos...») y también de su caída colectiva;
5) descenso.

Así como en la zona I del poema las series ii-v se detienen
a explorar el retorno, así las series vii-ix, en la zona II, am-
plifican el final del descenso: la residencia del yo en la profundidad. Su textualización asume la forma de un variado
apóstrofe que se articula sucesivamente: 1) como verificación
de la caída colectiva y reconocimiento de la verdadera muerte (sólo posible como excepción: cuando la entera comunidad desaparece) [55]; 2) como invocación del «amor americano» [56] para atraer su participación y patrocinio a esta experiencia órfica y en especial al rito sucesivo (viii); 3) como
contemplación y adoración de la ciudadela, exaltación y loor
de las ruinas (ix); 4) como interrogación por el hombre his-

---

[55] La *verdadera muerte* es en el texto una intuición claramente
dialéctica: a su proposición explícita («es así como al tamaño /
de vuestra magnitud / vino la verdadera, la más abrasadora / muerte», etc.) corresponde una contrapartida implícita, formulable como
posibilidad, para el hombre, de perpetuarse en la vida concreta
de la comunidad a que pertenece y —en definitiva— de la humanidad toda.

[56] «Amor americano»: categoría nerudiana de incierta definición.
Para Sicard 1977 es «l'ensemble de la conscience américaine» (255).
Más específicamente, y en una determinada etapa de la composición de CGN, «amor americano» parece ser una fórmula totalizante para designar en conjunto la representación mítica fundacional de América. El primer capítulo de CGN, probablemente
escrito (en su mayor parte) en 1948 ó 1949, y que propone una
especie de Génesis del continente, se abre con un texto introduc-
tivo escrito antes de 1945 y que se llama precisamente «Amor
América» (¿título originario de todo el capítulo?).

tórico y concreto de Macchu Picchu (x); 5) como plegaria
y petición de aquiescencia —enderezadas a las ruinas, testimonio y custodio del pasado— para privilegiar en la misión
órfica del hablante el rescate de ese hombre histórico y concreto, no sólo con sus armas, su artesanía, su nobleza, sino
también con su trabajo, su hambre, sus humillaciones. El di-
versificado apóstrofe recorre así un camino que va *desde el
mito hasta la historia,* abrazando a ambos en la totalidad del
reconocimiento. Si las series viii y ix afirman y exaltan el
mito fundacional americano, las series x y xi reintroducen en
cambio la historia como anclaje indispensable para la representación y como lugar de encuentro con el *otro* pretérito, con
el «olvidado» (xi). Sólo después de recorrer ese camino llegará el hablante a *ver* al hombre concreto de Macchu Picchu:
«veo el antiguo ser, servidor, el dormido / en los campos,
veo un cuerpo, mil cuerpos, un hombre, mil mujeres»; sólo
entonces puede por fin reconocerlo, individuarlo y —signifi-
cativamente— *nombrarlo* en el Texto (como antes a ciertas
mujeres amadas, a ciertos amigos): Juan Cortapiedras, Juan
Comefrío, Juan Piesdescalzos. Así reconocido y nombrado,
así identificado además por su trabajo («labrador, tejedor,
pastor callado», etc.), es a este *hermano* historizado que el
hablante endereza ahora su apóstrofe final, la invitación a
compartir el retorno: «Sube a nacer conmigo, hermano» (xii).

En el rescate del otro el hablante rescata su propia identidad y la de su poesía. Al momento de emprender la etapa
del retorno, el texto registra un doble resultado del descenso:
1) de *ruptura*: a la nueva representación del otro corresponde en el yo una nueva representación de su tarea, de su
quehacer, de su poesía; 2) de *integración:* la superación de
la fractura entre el pasado y el presente del otro (reanuda-
ción en el texto del hilo cortado, del tiempo interrumpido)
comporta la superación paralela de la disgregación vertical del
yo: es decir, la reunificación de todas sus identidades discon-
tinuas del pasado, que convergen a una autorrepresentación
totalizante: «esta nueva vida». Aquí el texto autoriza la lectura de un autorretrato implícito, tentativo, que engloba in-

separablemente las figuras del portavoz de los silenciosos, del hermano de los oprimidos, del compañero de los creadores de vida a través del trabajo. Confundido con ellos, con el *otro,* y al mismo tiempo más individualizado y consciente de sí, el yo naciente cruza el umbral del retorno [57].

---

[57] Sobre este ciclo, además de las referencias recurrentes (Alonso, Camacho Guizado, Concha, De Costa, Loyola, Rodríguez Monegal, Sicard), cfr. Bellini 1967, Franco 1975, Goic 1971, Loveluck 1973, Pring-Mill 1967 y 1975, Riess 1972.

*Vals*

Yo toco el odio como pecho diurno,
yo sin cesar, de ropa en ropa vengo
durmiendo lejos.

No soy, no sirvo, no conozco a nadie,
no tengo armas de mar ni de madera,
no vivo en está casa.

De noche y agua está mi boca llena.
La duradera luna determina
lo que no tengo.

Lo que tengo está en medio de las olas.
Un rayo de agua, un día para mí:
un fondo férreo.

No hay contramar, no hay escudo, no hay traje,
no hay especial solución insondable,
ni párpado vicioso.

Vivo de pronto y otras veces sigo.
Toco de pronto un rostro y me asesina.
No tengo tiempo.

No me busquéis entonces descorriendo
el habitual hilo salvaje o la
sangrienta enredadera.

No me llaméis: mi ocupación es ésa.
No preguntéis mi nombre ni mi estado.
Dejadme en medio de mi propia luna,
en mi terreno herido.

                                                    [TER]


## Bruselas


De todo lo que he hecho, de todo lo que he perdido,
de todo lo que he ganado sobresaltadamente,
en hierro amargo, en hojas, puedo ofrecer un poco.
Un sabor asustado, un río que las plumas
de las quemantes águilas van cubriendo, un sulfúrico
retroceso de pétalos.

                    No me perdona ya la sal entera
ni el pan continuo, ni la pequeña iglesia devorada
por la lluvia marina, ni el carbón mordido
por la espuma secreta.

He buscado y hallado, pesadamente,
bajo la tierra, entre los cuerpos temibles,
como un diente de pálida madera
llegando y yendo bajo el ácido duro,
junto a los materiales
de la agonía, entre luna y cuchillos,
muriendo de nocturno.

                          Ahora, en medio
de la velocidad desestimada, al lado
de los muros sin hilos,
en el fondo cortado por los términos,
aquí estoy con aquello que pierde estrellas,
vegetalmente, solo.

                                              [TER]


## El abandonado


No preguntó por ti ningún día, salido
de los dientes del alba, del estertor nacido,
no buscó tu coraza, tu piel, tu continente
para lavar tus pies, tu salud, tu destreza,
un día de racimos indicados?

                          No nació para ti solo,
para ti sola, para ti la campana
con sus graves circuitos de primavera azul:
lo extenso de los gritos del mundo, el desarrollo
de los gérmenes fríos que tiemblan en la tierra, el silencio
de la nave en la noche, todo lo que vivió lleno de párpados
para desfallecer y derramar?

Te pregunto:
a nadie, a ti, a lo que eres, a tu pared, al viento,
si en el agua del río ves hacia ti corriendo
una rosa magnánima de canto y transparencia
o si en la desbocada primavera agredida
por el primer temblor de las cuerdas humanas
cuando canta el cuartel a la luz de la luna
invadiendo la sombra del cerezo salvaje,
no has visto la guitarra que te era destinada,
y la cadera ciega que quería besarte?

Yo no sé, yo sólo sufro de no saber quién eres
y de tener la sílaba guardada por tu boca,
de detener los días más altos y enterrarlos
en el bosque bajo las hojas ásperas y mojadas,
a veces, resguardado bajo el ciclón, sacudido
por los más asustados árboles, por el pecho
horadado de las tierras profundas, entumecido
por los últimos clavos boreales, estoy
cavando más allá de los ojos humanos,
más allá de las uñas del tigre, lo que a mis brazos llega
para ser repartido más allá de los días glaciales.

Te busco, busco tu efigie entre las medallas
que el cielo gris modela y abandona,
no sé quién eres pero tanto te debo
que la tierra está llena de mi tesoro amargo.
Qué sal, qué geografía, qué piedra no levanta
su estandarte secreto de lo que resguardaba?
Qué hoja al caer no fue para mí un libro largo
de palabras por alguien dirigidas y amadas?
Bajo qué mueble oscuro no escondí los más dulces
suspiros enterrados que buscaban señales
y sílabas que a nadie pertenecieron?

Eres, eres tal vez, el hombre o la mujer
o la ternura que no descifró nada.
O tal vez no apretaste el firmamento oscuro
de los seres, la estrella palpitante, tal vez
al pisar no sabías que de la tierra ciega
emana el día ardiente de pasos que te buscan.
Pero nos hallaremos inermes, apretados
entre los dones mudos de la tierra final.

[TER]

## *Sobre una poesía sin pureza* (1935)

Es muy conveniente, en ciertas horas del día o de la noche, observar profundamente los objetos en descanso: las ruedas que han recorrido largas, polvorientas distancias, soportando grandes cargas vegetales o minerales, los sacos de las carbonerías, los barriles, las cestas, los mangos y asas de los instrumentos del carpintero. De ellos se desprende el contacto del hombre y de la tierra como una lección para el torturado poeta lírico. Las superficies usadas, el gasto que las manos han infligido a las cosas, la atmósfera a menudo trágica y siempre patética de estos objetos, infunde una especie de atracción no despreciable hacia la realidad del mundo.

La confusa impureza de los seres humanos se percibe en ellos, la agrupación, uso y desuso de los materiales, las huellas del pie y de los dedos, la constancia de una atmósfera humana inundando las cosas desde lo interno y lo externo.

Así sea la poesía que buscamos, gastada como por un ácido por los deberes de la mano, penetrada por el sudor y el humo, oliente a orina y a azucena salpicada por las diversas profesiones que se ejercen dentro y fuera de la ley.

Una poesía impura como un traje, como un cuerpo, con manchas de nutrición, y actitudes vergonzosas, con arrugas, observaciones, sueños, vigilias, profecías, declaraciones de amor y de odio, bestias, sacudidas, idilios, creencias políticas, negaciones, dudas, afirmaciones, impuestos.

La sagrada ley del madrigal y los decretos del tacto, olfato, gusto, vista, oído, el deseo de justicia, el deseo sexual, el ruido del océano, sin excluir deliberadamente nada, sin aceptar deliberadamente nada, la entrada en la profundidad de las cosas en un acto de arrebatado amor, y el producto poesía manchado de palomas digitales, con huellas de dientes y hielo, roído tal vez levemente por el sudor y el uso. Hasta alcanzar esa dulce superficie del instrumento tocado sin descanso, esa suavidad durísima de la madera manejada, del orgulloso hierro. La flor, el trigo, el agua tienen también esa consistencia especial, ese recurso de un magnífico tacto.

Y no olvidemos nunca la melancolía, el gastado sentimentalismo, perfectos frutos impuros de maravillosa calidad olvidada, dejados atrás por el frenético libresco: la luz de la luna, el cisne en el anochecer, «corazón mío» son sin duda lo poético elemental e imprescindible. Quien huye del mal gusto cae en el hielo.

[*PNN*]


*Reunión bajo las nuevas banderas*


Quién ha mentido? El pie de la azucena
roto, insondable, oscurecido, todo
lleno de herida y resplandor oscuro!

Todo, la norma de ola en ola en ola,
el impreciso túmulo del ámbar
y las ásperas gotas de la espiga!
Fundé mi pecho en esto, escuché toda
la sal funesta: de noche
fui a plantar mis raíces:
averigüé lo amargo de la tierra:
todo fue para mí noche o relámpago:
cera secreta cupo en mi cabeza
y derramó cenizas en mis huellas.

Y para quién busqué este pulso frío
sino para una muerte?
Y qué instrumento perdí en las tinieblas
desamparadas, donde nadie me oye?
No,
     ya era tiempo, huid,
sombras de sangre,
hielos de estrella, retroceded al paso de los pasos humanos
y alejad de mis pies la negra sombra!

Yo de los hombres tengo la misma mano herida,
yo sostengo la misma copa roja
e igual asombro enfurecido:
                              un día
palpitante de sueños
humanos, un salvaje
cereal ha llegado
a mi devoradora noche
para que junte mis pasos de lobo
a los pasos del hombre.
                         Y así, reunido,
duramente central, no busco asilo
en los huecos del llanto: muestro
la cepa de la abeja: pan radiante

para el hijo del hombre: en el misterio el azul se prepara
para mirar un trigo lejano de la sangre.
Dónde está tu sitio en la rosa?
En dónde está tu párpado de estrella?
Olvidaste esos dedos de sudor que enloquecen
por alcanzar la arena?
                    Paz para ti, sol sombrío,
paz para ti, frente ciega,
hay un quemante sitio para ti en los caminos,
hay piedras sin misterio que te miran,
hay silencios de cárcel con una estrella loca,
desnuda, desbocada, contemplando el infierno.

Juntos, frente al sollozo!
                Es la hora
alta de tierra y de perfume, mirad este rostro
recién salido de la sal terrible,
mirad esta boca amarga que sonríe,
mirad este nuevo corazón que os saluda
con su flor desbordante, determinada y áurea.

                                  [TER]

*Explico algunas cosas*

Preguntaréis: Y dónde están las lilas?
Y la metafísica cubierta de amapolas?
Y la lluvia que a menudo golpeaba
sus palabras llenándolas
de agujeros y pájaros?

Os voy a contar todo lo que me pasa.

Yo vivía en un barrio
de Madrid, con campanas,
con relojes, con árboles.


Desde allí se veía
el rostro seco de Castilla
como un océano de cuero.
                        Mi casa era llamada
la casa de las flores, porque por todas partes
estallaban geranios: era
una bella casa
con perros y chiquillos.
                        Raúl, te acuerdas?
Te acuerdas, Rafael?
                        Federico, te acuerdas
debajo de la tierra,
te acuerdas de mi casa con balcones en donde
la luz de junio ahogaba flores en tu boca?
                        Hermano, hermano!


Todo
eran grandes voces, sal de mercaderías,
aglomeraciones de pan palpitante,
mercados de mi barrio de Argüelles con su estatua
como un tintero pálido entre las merluzas:
el aceite llegaba a las cucharas,
un profundo latido
de pies y manos llenaban las calles,
metros, litros, esencia
aguda de la vida,
                        pescados hacinados,
contextura de techos con sol frío en el cual
la flecha se fatiga,
delirante marfil fino de las patatas,
tomates repetidos hasta el mar.

Y una mañana todo estaba ardiendo
y una mañana las hogueras
salían de la tierra
devorando seres,
y desde entonces fuego,
pólvora desde entonces,
y desde entonces sangre.
Bandidos con aviones y con moros,
bandidos con sortijas y duquesas,
bandidos con frailes negros bendiciendo
venían por el cielo a matar niños,
y por las calles la sangre de los niños
corría simplemente, como sangre de niños.

*fueron pagados como mercenarios por Franco*

Chacales que el chacal rechazaría,
piedras que el cardo seco mordería escupiendo,
víboras que las víboras odiaran!

Frente a vosotros he visto la sangre
de España levantarse
para ahogaros en una sola ola
de orgullo y de cuchillos!

Generales
traidores:
mirad mi casa muerta,
mirad España rota:
pero de cada casa muerta sale metal ardiendo
en vez de flores,
pero de cada hueco de España
sale España,
pero de cada niño muerto sale un fusil con ojos,
pero de cada crimen nacen balas
que os hallarán un día el sitio
del corazón.

Preguntaréis por qué su poesía
no nos habla del sueño, de las hojas,
de los grandes volcanes de su país natal?

Venid a ver la sangre por las calles,
venid a ver
la sangre por las calles,
venid a ver la sangre
por las calles!

[TER, *España en el corazón*]

*Canto sobre unas ruinas*

Esto que fue creado y dominado,
esto que fue humedecido, usado, visto,
yace —pobre pañuelo— entre las olas
de tierra y negro azufre.
                    Como el botón o el pecho
se levantan al cielo, como la flor que sube
desde el hueso destruido, así las formas
del mundo aparecieron. Oh párpados,
oh columnas, oh escalas!
                    Oh profundas materias
agregadas y puras; cuánto hasta ser campanas!
cuánto hasta ser relojes! Aluminio
de azules proporciones, cemento
pegado al sueño de los seres!
                    El polvo se congrega,
la goma, el lodo, los objetos crecen
y las paredes se levantan
como parras de oscura piel humana.

                    Allí dentro en blanco, en cobre,
en fuego, en abandono, los papeles crecían,
el llanto abominable, las prescripciones
llevadas en la noche a la farmacia mientras
alguien con fiebre,
la seca sien mental, la puerta
que el hombre ha construido
para no abrir jamás.
                    Todo ha ido y caído
brutalmente marchito.
                        Utensilios heridos, telas
nocturnas, espuma sucia, orines justamente
vertidos, mejillas, vidrio, lana,
alcanfor, círculos de hilo y cuero, todo,
todo por una rueda vuelto al polvo,
al desorganizado sueño de los metales,
todo el perfume, todo lo fascinado,
todo reunido en nada, todo caído
para no nacer nunca.
                    Sed celeste, palomas
con cintura de harina: épocas
de polen y racimo, ved cómo
la madera se destroza
hasta llegar al luto: no hay raíces
para el hombre: todo descansa apenas
sobre un temblor de lluvia.
                        Ved cómo se ha podrido
la guitarra en la boca de la fragante novia:
ved cómo las palabras que tanto construyeron,
ahora son exterminio: mirad sobre la cal y entre el már-
        mol deshecho
la huella —ya con musgos— del sollozo.

          [TER, *España en el corazón*]

*La copa de sangre* [1938]

Cuando remotamente regreso y en el extraordinario azar de los trenes, como los antepasados sobre las cabalgaduras, me quedo sobredormido y enredado en mis exclusivas propiedades, veo a través de lo negro de los años, cruzándolo todo como una enredadera nevada, un patriótico sentimiento, un bárbaro viento tricolor en mi investidura: pertenezco a un pedazo de pobre tierra austral hacia la Araucanía, han venido mis actos desde los más distantes relojes, como si aquella tierra boscosa y perpetuamente en lluvia tuviera un secreto mío que no conozco, que no conozco y que debo saber, y que busco, perdidamente, ciegamente, examinando largos ríos, vegetaciones inconcebibles, montones de madera, mares del sur, hundiéndome en la botánica y en la lluvia, sin llegar a esa privilegiada espuma que las olas depositan y rompen, sin llegar a ese metro de tierra especial, sin tocar mi verdadera arena. Entonces, mientras el tren nocturno toca violentamente estaciones madereras o carboníferas como si en medio del mar de la noche se sacudiera contra los arrecifes, me siento disminuido y escolar, niño en el frío de la zona sur, con el colegio en los deslindes del pueblo, y contra el corazón los grandes, húmedos boscajes del sur del mundo. Entro en un patio, voy vestido de negro, tengo corbata de poeta, mis tíos están allí todos reunidos, son todos inmensos, debajo del árbol guitarras y cuchillos, cantos que rápidamente entrecorta el áspero vino. Y entonces abren la garganta de un cordero palpitante, y una copa abrasadora de sangre me llevan a la boca, entre disparos y cantos, y me siento agonizar como el cordero, y quiero llegar también a ser centauro, y pálido, indeciso, perdido en medio de la desierta infancia, levanto y bebo la copa de sangre.

Hace poco murió mi padre, acontecimiento estrictamente laico, y sin embargo algo religiosamente funeral ha sucedido en su tumba, y éste es el momento de revelarlo. Algunas semanas después mi madre, según el diario y temible lenguaje, fallecía también, y para que descansaran juntos trasladamos de nicho al caballero muerto. Fuimos a mediodía con mi hermano y algunos de los ferroviarios amigos del difunto, hicimos abrir el nicho ya sellado y cimentado, y sacamos la urna, pero ya llena de hongos, y sobre ella una palma con flores negras y extinguidas: la humedad de la zona había partido el ataúd y al bajarlo de su sitio, ya sin creer lo que veía, vimos bajar de él cantidades de agua, cantidades como interminables litros que caían de adentro de él, de su substancia.

Pero todo se explica: esta agua trágica era lluvia, lluvia tal vez de un solo día, de una sola hora tal vez de nuestro austral invierno, y esta lluvia había atravesado techos y balaustradas, ladrillos y otros materiales y otros muertos hasta llegar a la tumba de mi deudo. Ahora bien, esta agua terrible, esta agua salida de un imposible, insondable, extraordinario escondite, para mostrarme a mí su torrencial secreto, esta agua original y temible me advertía otra vez con su misterioso derrame mi conexión interminable con una determinada vida, región y muerte.

[PNN]

*Viaje al corazón de Quevedo* [1939] *
(fragmento)

A mí me hizo la vida recorrer los más lejanos sitios del mundo antes de llegar al que debió ser mi punto de partida: España. Y en la vida de mi poesía, en mi pe-

_____
* Texto reelaborado en 1944.

queña historia de poeta, me tocó conocerlo casi todo antes de llegar a Quevedo.

Así también, cuando pisé España, cuando puse los pies en las piedras polvorientas de sus pueblos dispersos, cuando me cayó en la frente y en el alma la sangre de sus heridas, me di cuenta de una parte original de mi existencia, de una base roquera donde está temblando aún la cuna de la sangre.

Nuestras praderas, nuestros volcanes, nuestra frente abrumada por tanto esplendor volcánico y fluvial, pudieron hace ya tiempo construir en esta desértica fortaleza el arma de fuego capaz de horadar la noche. Hasta hoy, de los genios poéticos nacidos en nuestra tierra virginal, dos son franceses y dos son afrancesados. Hablo de los uruguayos Julio Laforgue e Isidoro Ducasse, y de Rubén Darío y Julio Herrera y Reissig. Nuestros dos primeros compatriotas, Isidoro Ducasse y Julio Laforgue, abandonan América a corta edad de ellos y de América. Dejan desamparado el vasto territorio vital que en vez de procrearlos con torbellinos de papel y con ilusiones caninas, los levanta y los llena del soplo masculino y terrible que produce en nuestro continente, con la misma sinrazón y el mismo desequilibrio, el hocico sangriento del puma, el caimán devorador y destructor y la pampa llena de trigo para que la humanidad entera no olvide, a través de nosotros, su comienzo, su origen.

América llena, a través de Laforgue y de Ducasse, las calles enrarecidas de Europa con una flora ardiente y helada, con unos fantasmas que desde entonces la poblarán para siempre. El payaso lunático de Laforgue no ha recibido la luna inmensa de las pampas en vano: su resplandor lunar es mayor que la vieja luna de todos los siglos: la luna apostrofada, virulenta y amarilla de Europa. Para sacar a la luz de la noche una luz tan lunar, se necesitaba haberla recibido en una tierra resplandeciente de astros

recién creados, de planeta en formación, con estepas llenas
aún de rocío salvaje. Isidoro Ducasse, conde de Lautréa-
mont, es americano, uruguayo, chileno, colombiano, nuestro. Pariente de gauchos, de cazadores de cabezas del Caribe remoto, es un héroe sanguinario de la tenebrosa profundidad de nuestra América. Corren en su desértica literatura los caballistas machos, los colonos del Uruguay, de
la Patagonia, de Colombia. Hay en él un ambiente geográfico de exploración gigantesca y una fosforescencia ma-
rítima que no la da el Sena, sino la flora torrencial del
Amazonas y el abstracto nitrato, el cobre longitudinal,
el oro agresivo y las corrientes activas y caóticas que ti-
ñen la tierra y el mar de nuestro planeta americano.

Pero a lo americano no estorba lo español, porque a
la tierra no estorba la piedra ni la vegetación. De la
piedra española, de los aledaños gastados por las pisadas
de un mundo tan nuestro como el nuestro, tan puro como
nuestra pureza, tan original como nuestro origen, tenía
que salir el caudaloso camino del descubrimiento y de la
conquista. Pero, si España ha olvidado con elegancia inme-
morial su epopeya de conquista, América olvidó y le ense-
ñaron a olvidar su conquista de España, la conquista de
su herencia cultural. Pasaron las semanas, y los años en-
durecieron el hielo y cerraron las puertas del camino duro
que nos unía a nuestra madre.

Y yo venía de una atmósfera cargada de aroma, inun-
dada por nuestros despiadados ríos. Hasta entonces viví
sujeto por el tenebroso poder de grandes selvas: la madera nueva, recién cortada, había traspasado mi ropa: estaba
acostumbrado a las riberas inmensamente pobladas de pájaros y vapor donde, en el fondo, entre las conflagracio-
nes de agua y lodo, se oyen chapotear pequeñas embarcaciones selváticas. Pasé por estaciones en que la madera
recién llegaba de los bosques, precipitada desde las riberas de ríos rápidos y torrenciales, y en las provincias tro-

picales de América, junto a los plátanos amontonados y su olor decadente, vi atravesar de noche las columnas de mariposas, las divisiones de luciérnagas y el paso desamparado de los hombres.

Quevedo fue para mí la roca tumultuosamente cortada, la superficie sobresaliente y cortante sobre un fondo de color de arena, sobre un paisaje histórico que recién me comenzaba a nutrir. Los mismos oscuros dolores que quise vanamente formular, y que tal vez se hicieron en mí extensión y geografía, confusión de origen, palpitación vital para nacer, los encontré detrás de España, plateada por los siglos, en lo íntimo de la estructura de Quevedo. Fue entonces mi padre mayor y mi visitador de España. Vi a través de su espectro la grave osamenta, la muerte física, tan arraigada a España. Este gran contemplador de osarios me mostraba lo sepulcral, abriéndose paso entre la materia muerta, con un desprecio imperecedero por lo falso, hasta en la muerte. Le estorbaba el aparato de lo mortal: iba en la muerte derecho a nuestra consumación, a lo que llamó con palabras únicas «la agricultura de la muerte». Pero cuanto le rodeaba, la necrología adorativa, la pompa y el sepulturero fueron sus repugnantes enemigos. Fue sacando ropaje de los vivos, su obra fue retirar caretas de los altos enmascarados, para preparar al hombre a la muerte desnuda, donde las apariencias humanas serán más inútiles que la cáscara del fruto caído. Sólo la semilla vuelve a la tierra con el derecho de su desnudez original.

Por eso para Quevedo la metafísica es inmensamente física, lo más material de su enseñanza. Hay una sola enfermedad que mata, y ésa es la vida. Hay un solo paso, y es el camino hacia la muerte. Hay una manera sola de gasto y de mortaja, es el paso arrastrador del tiempo que nos conduce. Nos conduce adónde? Si al nacer empezamos a morir, si cada día nos acerca a un límite determinado, si la vida misma es una etapa patética de la muerte, si el mismo minuto de brotar avanza hacia el desgaste del cual la hora final es sólo la culminación de ese transcurrir, no integramos la muerte en nuestra cotidiana existencia, no somos parte perpetua de la muerte, no somos lo más audaz, lo que ya salió de la muerte? No es lo más mortal, lo más viviente, por su mismo misterio?

Por eso, en tanta región incierta, Quevedo me dio a mí una enseñanza clara y biológica. No es el transcurriremos en vano, no es el Eclesiastés ni el Kempis, adornos de la necrología, sino la llave adelantada de las vidas. Si ya hemos muerto, si venimos de la profunda crisis, perderemos el temor a la muerte. Si el paso más grande de la muerte es el nacer, el paso menor de la vida es el morir.

Por eso la vida se acrecienta en la doctrina quevedesca como yo lo he experimentado, porque Quevedo ha sido para mí no una lectura, sino una experiencia viva, con toda la rumorosa materia de la vida. Así tienen en él su explicación la abeja, la construcción del topo, los recónditos misterios florales. Todos han pasado la etapa oscura de la muerte, todos se van gastando hasta el final, hasta el aniquilamiento puro de la materia. Tiene su explicación el hombre y su borrasca, la lucha de su pensamiento, la errante habitación de los seres.

La borrascosa vida de Quevedo, no es un ejemplo de comprensión de la vida y sus deberes de lucha? No hay acontecimiento de su época que no lleve algo de su fuego activo. Lo conocen todas las Embajadas y él conoce todas las miserias. Lo conocen todas las prisiones y él conoce todo el esplendor. No hay nada que escape a su herejía en movimiento: ni los descubrimientos geográficos, ni la búsqueda de la verdad. Pero donde ataca con lanza y con linterna es en la gran altura. Quevedo es el enemigo viviente del linaje gubernamental. Quevedo es el más po-

pular de todos los escritores de España, más popular que
Cervantes, más indiscreto que Mateo Alemán. Cervantes
saca de lo limitado humano toda su perspectiva grandio-
sa, Quevedo viene de la interrogación agorera, de descifrar los más oscuros estados, y su lenguaje popular está
impregnado de su saber político y de su sabiduría doctri-
naria. Lejos de mí pretender estas rivalidades en el cauce
apagado de las horas. Pero cuando a través de mi viaje,
recién iluminado por la oscura fosforescencia del océano,
llegué a Quevedo, desembarqué en Quevedo, fui reco-
rriendo esas costas substanciales de España hasta conocer
su abstracción y su páramo, su racimo y su altura, y escoger lo determinativo que me esperaba.

Me fue dado a conocer a través de galerías subterrá-
neas de muertos las nuevas germinaciones, lo espontáneo
de la avena, lo soterrado de sus nuevas viñas, y las nuevas cristalinas campanas. Cristalinas campanas de España,
que me llamaban desde ultramar, para dominar en mí lo
insaciable, para descarnar los límites territoriales del espíritu, para mostrarme la base secreta y dura del conocimiento. Campanas de Quevedo levemente tañidas por funerales y carnavales de antiguo tiempo, interrogación
esencial, caminos populares con vaqueros y mendigos, con
príncipes absolutistas y con la verdad harapienta cerca
del mercado. Campanas de España vieja y Quevedo inmortal, donde pude reunir mi escuela de sollozos, mis adioses
a través de los ríos a unas cuantas páginas de piedra en
donde estaba ya determinado mi pensamiento.

[VJS]

## Himno y regreso [1939]

Patria, mi patria, vuelvo hacia ti la sangre.
Pero te pido, como a la madre el niño
lleno de llanto.

Acoge
esta guitarra ciega
y esta frente perdida.
Salí a encontrarte hijos por la tierra,
salí a cuidar caídos con tu nombre de nieve,
salí a hacer una casa con tu madera pura,
salí a llevar tu estrella a los héroes heridos.

Ahora quiero dormir en tu substancia.
Dame tu clara noche de penetrantes cuerdas,
tu noche de navío, tu estatura estrellada.

Patria mía: quiero mudar de sombra.
Patria mía: quiero cambiar de rosa.
Quiero poner mi brazo en tu cintura exigua
y sentarme en tus piedras por el mar calcinadas,
a detener el trigo y mirarlo por dentro.

Voy a escoger la flora delgada del nitrato,
voy a hilar el estambre glacial de la campana,
y mirando tu ilustre y solitaria espuma
un ramo litoral tejeré a tu belleza.

Patria, mi patria
toda rodeada de agua combatiente
y nieve combatida,
en ti se junta el águila al azufre,
y en tu antártica mano de armiño y de zafiro
una gota de pura luz humana
brilla encendiendo el enemigo cielo.

Guarda tu luz, oh patria!, mantén
tu dura espiga de esperanza en medio
del ciego aire temible.

En tu remota tierra ha caído toda esta luz difícil,
este destino de los hombres
que te hace defender una flor misteriosa
sola, en la inmensidad de América dormida.

[*CGN, VII: Canto general de Chile*]


*Quiero volver al Sur* [1941]


Enfermo en Veracruz, recuerdo un día
del Sur, mi tierra, un día de plata
como un rápido pez en el agua del cielo.
Loncoche, Lonquimay, Carahue, desde arriba
esparcidos, rodeados por silencio y raíces,
sentados en sus tronos de cueros y maderas.
El Sur es un caballo echado a pique
coronado con lentos árboles y rocío,
cuando levanta el verde hocico caen las gotas,
la sombra de su cola moja el gran archipiélago
y en su intestino crece el carbón venerado.

Nunca más, dime, sombra, nunca más, dime, mano,
nunca más, dime, pie, puerta, pierna, combate,
trastornarás la selva, el camino, la espiga,
la niebla, el frío, lo que, azul, determinaba
cada uno de tus pasos sin cesar consumidos?
Cielo, déjame un día de estrella a estrella irme
pisando luz y pólvora, destrozando mi sangre
hasta llegar al nido de la lluvia!

                              Quiero ir
detrás de la madera por el río
Toltén fragante, quiero salir de los aserraderos,
entrar en las cantinas con los pies empapados,
guiarme por la luz del avellano eléctrico,
tenderme junto al excremento de las vacas,
morir y revivir mordiendo trigo.
                                   Océano, tráeme
un día del Sur, un día agarrado a tus olas,
un día de árbol mojado, trae un viento
azul polar a mi bandera fría!

                                              [*CGN*, VII]


*Quilas*


Entre las hojas rectas que no saben sonreír
escondes tu plantel de lanzas clandestinas.
Tú no olvidaste. Cuando paso por tu follaje
murmura la dureza, y despiertan palabras
que hieren, sílabas que amamantan espinas.
Tú no olvidas. Eras argamasa mojada
con sangre, eras columna de la casa y la guerra,
esa bandera, techo de mi madre araucana,
espada del guerrero silvestre, Araucanía
erizada de flores que hirieron y mataron.
Asperamente escondes las lanzas que fabricas
y que conoce el viento de la región salvaje,
la lluvia, el águila de los bosques quemados,
y el furtivo habitante recién desposeído.
Tal vez, tal vez: no digas a nadie tu secreto.

Guárdame a mí una lanza silvestre, o la madera
de una flecha. Yo tampoco he olvidado.

[*CGN*, VII]

## Una rosa [1942]

Veo una rosa junto al agua, una pequeña copa
de párpados bermejos,
sostenida en la altura por un sonido aéreo:
una luz de hojas verdes toca los manantiales
y transfigura el bosque con solitarios seres
de transparentes pies:
el aire está poblado de claras vestiduras
y el árbol establece su magnitud dormido.

[*CGN*, VI: *América, no invoco tu nombre en vano*]

## Vida y muerte de una mariposa [1942]

Vuela la mariposa de Muzo en la tormenta:
todos los hilos equinocciales,
la pasta helada de las esmeraldas,
todo vuela en el rayo,
se sacuden las últimas consecuencias del aire
y entonces una lluvia de estambres verdes
el polen asustado de la esmeralda sube:
sus grandes terciopelos de fragancia mojada
caen en las riberas azules del ciclón,

se unen a las caídas levaduras terrestres,
regresan a la patria de las hojas.

[*CGN, VI*]


*El hombre enterrado en la pampa* [1942]


De tango a tango, si alcanzara
a rayar el dominio, las praderas,
si ya dormido
saliendo de mi boca el cereal salvaje,
si yo escuchara en las llanuras
un trueno de caballos,
una furiosa tempestad de patas
pasar sobre mis dedos enterrados,
besaría sin labios la semilla
y amarraría a ella los vestigios
de mis ojos
para ver el galope que amó mi turbulencia:
mátame, vidalita,
mátame y se derrame mi substancia
como el ronco metal de las guitarras.

[*CGN, VI*]


*América* [1942]


Estoy, estoy rodeado
por madreselva y páramo, por chacal y centella,
por el encadenado perfume de las lilas:
estoy, estoy rodeado

por días, meses, aguas que sólo yo conozco,
por uñas, peces, meses que sólo yo establezco,
estoy, estoy rodeado
por la delgada espuma combatiente
del litoral poblado de campanas.
La camisa escarlata del volcán y del indio,
el camino, que el pie desnudo levantó entre las hojas
y las espinas entre las raíces,
llega a mis pies de noche para que lo camine.
La oscura sangre como en un otoño
derramada en el suelo,
el temible estandarte de la muerte en la selva,
los pasos invasores deshaciéndose, el grito
de los guerreros, el crepúsculo de las lanzas dormidas,
el sobresaltado sueño de los soldados, los grandes
ríos en que la paz del caimán chapotea,
tus recientes ciudades de alcaldes imprevistos,
el coro de los pájaros de costumbre indomable,
en el pútrido día de la selva, el fulgor
tutelar de la luciérnaga,
cuando en tu vientre existo, en tu almenada
tarde, en tu descanso, en el útero de tus nacimientos,
en el terremoto, en el diablo de los campesinos, en la
               ceniza
que cae de los ventisqueros, en el espacio,
en el espacio puro, circular inasible,
en la garra sangrienta de los cóndores, en la paz
               humillada
de Guatemala, en los negros,
en los muelles de Trinidad, en La Guayra:
todo es mi noche, todo
es mi día, todo
es mi aire, todo
es lo que vivo, sufro, levanto y agonizo.

América, no de noche
ni de luz están hechas las sílabas que canto.
De tierra es la materia apoderada
del fulgor y del pan de mi victoria,
y no es sueño mi sueño sino tierra.
Duermo rodeado de espaciosa arcilla
y por mis manos corre cuando vivo
un manantial de caudalosas tierras.
Y no es vino el que bebo sino tierra,
tierra escondida, tierra de mi boca,
tierra de agricultura con rocío,
vendaval de legumbres luminosas,
estirpe cereal, bodega de oro.

                                        [*CGN, VI*]


*Amor América*


Antes de la peluca y la casaca
fueros los ríos, ríos arteriales:
fueron las cordilleras, en cuya onda raída
el cóndor o la nieve parecían inmóviles:
fue la humedad y la espesura, el trueno
sin nombre todavía, las pampas planetarias.

El hombre tierra fue, vasija, párpado
del barro trémulo, forma de la arcilla,
fue cántaro caribe, piedra chibcha,
copa imperial o sílice araucana.
Tierno y sangriento fue, pero en la empuñadura
de su arma de cristal humedecido,
las iniciales de la tierra estaban
escritas.

        Nadie pudo
recordarlas después: el viento
las olvidó, el idioma del agua
fue enterrado, las claves se perdieron
o se inundaron de silencio o sangre.

No se perdió la vida, hermanos pastorales.
Pero como una rosa salvaje
cayó una gota roja en la espesura
y se apagó una lámpara de tierra.

Yo estoy aquí para contar la historia.
Desde la paz del búfalo
hasta las azotadas arenas
de la tierra final, en las espumas
acumuladas de la luz antártica,
y por las madrigueras despeñadas
de la sombría paz venezolana,
te busqué, padre mío,
joven guerrero de tiniebla y cobre
oh tú, planta nupcial, cabellera indomable,
madre caimán, metálica paloma.

Yo, incásico del légamo,
toqué la piedra y dije:
Quién
me espera? Y apreté la mano
sobre un puñado de cristal vacío.
Pero anduve entre flores zapotecas
y dulce era la luz como un venado,
y era la sombra como un párpado verde.

Tierra mía sin nombre, sin América,
estambre equinoccial, lanza de púrpura,
tu aroma me trepó por las raíces

hasta la copa que bebía, hasta la más delgada
palabra aún no nacida de mi boca.

[*CGN, I: La lámpara en la tierra*]


## Alturas de Macchu Picchu [1945]


*i*


Del aire al aire, como una red vacía,
iba yo entre las calles y la atmósfera, llegando y
          despidiendo,
en el advenimiento del otoño la moneda extendida
de las hojas, y entre la primavera y las espigas,
lo que el más grande amor, como dentro de un guante
que cae, nos entrega como una larga luna.

(Días de fulgor vivo en la intemperie
de los cuerpos: aceros convertidos
al silencio del ácido:
noches deshilachadas hasta la última harina:
estambres agredidos de la patria nupcial.)

Alguien que me esperó entre los violines
encontró un mundo como una torre enterrada
hundiendo su espiral más abajo de todas
las hojas de color de ronco azufre:
más abajo, en el oro de la geología,
como una espada envuelta en meteoros,
hundí la mano turbulenta y dulce
en lo más genital de lo terrestre.

Puse la frente entre las olas profundas,
descendí como gota entre la paz sulfúrica,
y, como un ciego, regresé al jazmín
de la gastada primavera humana.


*ii*


Si la flor a la flor entrega el alto germen
y la roca mantiene su flor diseminada
en su golpeado traje de diamante y arena,
el hombre arruga el pétalo de la luz que recoge
en los determinados manantiales marinos
y taladra el metal palpitante en sus manos.
Y pronto, entre la ropa y el humo, sobre la mesa hundida,
como una barajada cantidad, queda el alma:
cuarzo y desvelo, lágrimas en el océano
como estanques de frío: pero aún
mátala y agonízala con papel y con odio,
sumérgela en la alfombra cotidiana, desgárrala
entre las vestiduras hostiles del alambre.

No: por los corredores, aire, mar o caminos,
quién guarda sin puñal (como las encarnadas
amapolas) su sangre? La cólera ha extenuado
la triste mercancía del vendedor de seres,
y, mientras en la altura del ciruelo, el rocío
desde mil años deja su carta transparente
sobre la misma rama que lo espera, oh corazón, oh frente
          triturada
entre las cavidades del otoño:

Cuántas veces en las calles de invierno de una ciudad o en
un autobús o un barco en el crepúsculo, o en la soledad
más espesa, la de la noche de fiesta, bajo el sonido

de sombras y campanas, en la misma gruta del placer
    humano,
me quise detener a buscar la eterna veta insondable
que antes toqué en la piedra o en el relámpago que el beso
    desprendía.

(Lo que en el cereal como una historia amarilla
de pequeños pechos preñados va repitiendo un número
que sin cesar es ternura en las capas germinales,
y que, idéntica siempre, se desgrana en marfil
y lo que en el agua es patria transparente, campana
desde la nieve aislada hasta las olas sangrientas.)

No pude asir sino un racimo de rostros o de máscaras
precipitadas, como anillos de oro vacío,
como ropas dispersas hijas de un otoño rabioso
que hiciera temblar el miserable árbol de las razas
    asustadas.

No tuve sitio donde descansar la mano
y que, corriente como agua de manantial encadenado,
o firme como grumo de antracita o cristal,
hubiera devuelto el calor o el frío de mi mano extendida.
Qué era el hombre? En qué parte de su conversación
    abierta
entre los almacenes y los sibidos, en cuál de sus movi-
    mientos metálicos
vivía lo indestructible, lo imperecedero, la vida?

*iii*

El ser como el maíz se desgranaba en el inacabable
granero de los hechos perdidos, de los acontecimientos

miserables, del uno al siete, al ocho,
y no una muerte, sino muchas muertes llegaba a cada uno:
cada día una muerte pequeña, polvo, gusano, lámpara
que se apaga en el lodo del suburbio, una pequeña muerte
        de alas gruesas
entraba en cada hombre como una corta lanza
y era el hombre asediado del pan o del cuchillo,
el ganadero: el hijo de los puertos, o el capitán oscuro del
        arado,
o el roedor de las calles espesas:
todos desfallecieron esperando su muerte, su corta muerte
        diaria:
y su quebranto aciago de cada día era
como una copa negra que bebían temblando.

*iv*

La poderosa muerte me invitó muchas veces:
era como la sal invisible en las olas,
y lo que su invisible sabor diseminaba
era como mitades de hudimientos y altura
o vastas construcciones de viento y ventisquero.

Yo al férreo filo vine, a la angostura
del aire, a la mortaja de agricultura y piedra,
al estelar vacío de los pasos finales
y a la vertiginosa carretera espiral:
pero, ancho mar, oh muerte!, de ola en ola no vienes,
sino como un galope de claridad nocturna
o como los totales números de la noche.

Nunca llegaste a hurgar en el bolsillo, no era
posible tu visita sin vestimenta roja:

sin auroral alfombra de cercado silencio:
sin altos y enterrados patrimonios de lágrimas.

No pude amar en cada ser un árbol
con su pequeño otoño a cuestas (la muerte de mil hojas),
todas las falsas muertes y las resurrecciones
sin tierra, sin abismo:
quise nadar en las más anchas vidas,
en las más sueltas desembocaduras,
y cuando poco a poco el hombre fue negándome
y fue cerrando paso y puerta para que no tocaran
mis manos manantiales su inexistencia herida,
entonces fui por calle y calle y río y río,
y ciudad y ciudad y cama y cama,
y atravesó el desierto mi máscara salobre,
y en las últimas casas humilladas, sin lámpara, sin fuego,
sin pan, sin piedra, sin silencio, solo,
rodé muriendo de mi propia muerte.


v


No eras tú, muerte grave, ave de plumas férreas,
la que el pobre heredero de las habitaciones
llevaba entre alimentos apresurados, bajo la piel vacía:
era algo, un pobre pétalo de cuerda exterminada:
un átomo del pecho que no vino al combate
o el áspero rocío que no cayó en la frente.
Era lo que no pudo renacer, un pedazo
de la pequeña muerte sin paz ni territorio:
un hueso, una campana que morían en él.
Yo levanté las vendas del yodo, hundí las manos
en los pobres dolores que mataban la muerte,
y no encontré en la herida sino una racha fría
que entraba por los vagos intersticios del alma.

*vi*

Entonces en la escala de la tierra he subido
entre la atroz maraña de las selvas perdidas
hasta ti, Macchu Picchu.
Alta ciudad de piedras escalares,
por fin morada del que lo terrestre
no escondió en las dormidas vestiduras.
En ti, como dos líneas paralelas,
la cuna del relámpago y del hombre
se mecían en un viento de espinas.

Madre de piedra, espuma de los cóndores.

Alto arrecife de la aurora humana.

Pala perdida en la primera arena.

Esta fue la morada, éste es el sitio:
aquí los anchos granos del maíz ascendieron
y bajaron de nuevo como granizo rojo.

Aquí la hebra dorada salió de la vicuña
a vestir los amores, los túmulos, las madres,
el rey, los oraciones, los guerreros.

Aquí los pies del hombre descansaron de noche
junto a los pies del águila, en las altas guaridas
carniceras, y en la aurora
pisaron con los pies del trueno la niebla enrarecida,
y tocaron las tierras y las piedras
hasta reconocerlas en la noche o la muerte.

Miro las vestiduras y las manos,
el vestigio del agua en la oquedad sonora,

la pared suavizada por el tacto de un rostro
que miró con mis ojos las lámparas terrestres,
que aceitó con mis manos las desaparecidas
maderas: porque todo, ropaje, piel, vasijas,
palabras, vino, panes,
se fue, cayó a la tierra.

Y el aire entró con dedos
de azahar sobre todos los dormidos:
mil años de aire, meses, semanas de aire,
de viento azul, de cordillera férrea,
que fueron como suaves huracanes de pasos
lustrando el solitario recinto de la piedra.


*vii*

Muertos de un solo abismo, sombras de una
          hondonada,
la profunda, es así como al tamaño
de vuestra magnitud
vino la verdadera, la más abrasadora
muerte y desde las rocas taladradas,
desde los capiteles escarlata,
desde los acueductos escalares
os desplomasteis como en un otoño
en una sola muerte.
Hoy el aire vacío ya no llora,
ya no conoce vuestros pies de arcilla,
ya olvidó vuestros cántaros que filtraban el cielo
cuando lo derramaban los cuchillos del rayo,
y el árbol poderoso fue comido
por la niebla, y cortado por la racha.

El sostuvo una mano que cayó de repente
desde la altura hasta el final del tiempo.

Ya no sois, manos de araña, débiles
hebras, tela enmarañada:
cuanto fuisteis cayó: costumbres, sílabas
raídas, máscaras de luz deslumbradora.

Pero una permanencia de piedra y de palabra:
la ciudad como un vaso se levantó en las manos
de todos, vivos, muertos, callados, sostenidos
de tanta muerte, un muro, de tanta vida un golpe
de pétalos de piedra: la rosa permanente, la morada:
este arrecife andino de colonias glaciales.

Cuando la mano de color de arcilla
se convirtió en arcilla, y cuando los pequeños párpados
          se cerraron
llenos de ásperos muros, poblados de castillos,
y cuando todo el hombre se enredó en su agujero,
quedó la exactitud enarbolada:
el alto sitio de la aurora humana:
la más alta vasija que contuvo el silencio:
una vida de piedra después de tantas vidas.


*viii*

Sube conmigo, amor americano.

Besa conmigo las piedras secretas.
La plata torrencial del Urubamba
hace volar el polen a su copa amarilla.

Vuela el vacío de la enredadera,
la planta pétrea, la guirnalda dura
sobre el silencio del cajón serrano.

Ven, minúscula vida, entre las alas
de la tierra, mientras —cristal y frío, aire golpeado—
apartando esmeraldas combatidas,
oh agua salvaje, bajas de la nieve.

Amor, amor, hasta la noche abrupta,
desde el sonoro pedernal andino,
hacia la aurora de rodillas rojas,
contempla el hijo ciego de la nieve.

Oh, Wilkamayu de sonoros hilos,
cuando rompes tus truenos lineales
en blanca espuma, como herida nieve,
cuando tu vendaval acantilado
canta y castiga despertando al cielo,
qué idioma traes a la oreja apenas
desarraigada de tu espuma andina?

Quién apresó el relámpago del frío
y lo dejó en la altura encadenado,
repartido en sus lágrimas glaciales,
sacudido en sus rápidas espadas,
golpeando sus estambres aguerridos,
conducido en su cama de guerrero,
sobresaltado en su final de roca?

Qué dicen tus destellos acosados?
Tu secreto relámpago rebelde
antes viajó poblado de palabras?
Quién va rompiendo sílabas heladas,
idiomas negros, estandartes de oro,
bocas profundas, gritos sometidos,
en tus delgadas aguas arteriales?

Quién va cortando párpados florales
que vienen a mirar desde la tierra?

Quién precipita los racimos muertos
que bajan en tus manos de cascada
a desgranar su noche desgranada
en el carbón de la geología?

Quién despeña la rama de los vínculos?
Quién otra vez sepulta los adioses?

Amor, amor, no toques la frontera,
ni adores la cabeza sumergida:
deja que el tiempo cumpla su estatura
en su salón de manantiales rotos,
y, entre el agua veloz y las murallas,
recoge el aire del desfiladero,
las paralelas láminas del viento,
el canal ciego de las cordilleras,
el áspero saludo del rocío,
y sube, flor a flor, por la espesura,
pisando la serpiente despeñada.

En la escarpada zona, piedra y bosque,
polvo de estrellas verdes, selva clara,
Mantur estalla como un lago vivo
o como un nuevo piso del silencio.

Ven a mi propio ser, al alba mía,
hasta las soledades coronadas.
El reino muerto vive todavía.

Y en el Reloj la sombra sanguinaria
del cóndor cruza como una nave negra.


*ix*

Aguila sideral, viña de bruma.
Bastión perdido, cimitarra ciega.

Cinturón estrellado, pan solemne.
Escala torrencial, párpado inmenso.
Túnica triangular, polen de piedra.
Lámpara de granito, pan de piedra.
Serpiente mineral, rosa de piedra.
Nave enterrada, manantial de piedra.
Caballo de la luna, luz de piedra.
Escuadra equinoccial, vapor de piedra.
Geometría final, libro de piedra.
Témpano entre las ráfagas labrado.
Madrépora del tiempo sumergido.
Muralla por los dedos suavizada.
Techumbre por las plumas combatida.
Ramos de espejo, bases de tormenta.
Tronos volcados por la enredadera.
Régimen de la garra encarnizada.
Vendaval sostenido en la vertiente.
Inmóvil catarata de turquesa.
Campana patriarcal de los dormidos.
Argolla de las nieves dominadas.
Hierro acostado sobre sus estatuas.
Inaccesible temporal cerrado.
Manos de puma, roca sanguinaria.
Torre sombrera, discusión de nieve.
Noche elevada en dedos y raíces.
Ventana de las nieblas, paloma endurecida.
Planta nocturna, estatua de los truenos.
Cordillera esencial, techo marino.
Arquitectura de águilas perdidas.
Cuerda del cielo, abeja de la altura.
Nivel sangriento, estrella construida.
Burbuja mineral, luna de cuarzo.
Serpiente andina, frente de amaranto.
Cúpula del silencio, patria pura.
Novia del mar, árbol de catedrales.

Ramo de sal, cerezo de alas negras.
Dentadura nevada, trueno frío.
Luna arañada, piedra amenazante.
Cabellera del frío, acción del aire.
Volcán de manos, catarata oscura.
Ola de plata, dirección del tiempo.


x


Piedra en la piedra, el hombre, dónde estuvo?
Aire en el aire, el hombre, dónde estuvo?
Tiempo en el tiempo, el hombre, dónde estuvo?
Fuiste también el pedacito roto
de hombre inconcluso, de águila vacía
que por las calles de hoy, que por las huellas,
que por las hojas del otoño muerto
va machacando el alma hasta la tumba?
La pobre mano, el pie, la pobre vida...
Los días de la luz deshilachada
en ti, como la lluvia
sobre las banderillas de la fiesta,
dieron pétalo a pétalo de su alimento oscuro
en la boca vacía?
                                Hambre, coral del hombre,
hambre, planta secreta, raíz de los leñadores,
hambre, subió tu raya de arrecife
hasta estas altas torres desprendidas?

Yo te interrogo, sal de los caminos,
muéstrame la cuchara, déjame, arquitectura,
roer con un palito los estambres de piedra,
subir todos los escalones del aire hasta el vacío,
rascar la entraña hasta tocar el hombre.

Macchu Picchu, pusiste
piedra en la piedra, y en la base, harapos?
Carbón sobre carbón, y en el fondo la lágrima?
Fuego en el oro, y en él, temblando el rojo
goterón de la sangre?
Devuélveme el esclavo que enterraste!
Sacude de las tierras el pan duro
del miserable, muéstrame los vestidos
del siervo y su ventana.
Dime cómo durmió cuando vivía.
Dime si fue su sueño
ronco, entreabierto, como un hoyo negro
hecho por la fatiga sobre el muro.

El muro, el muro! Si sobre su sueño
gravitó cada piso de piedra, y si cayó bajo ella
como bajo una luna, con el sueño!
Antigua América, novia sumergida,
también tus dedos,
al salir de la selva hacia el alto vacío de los dioses,
bajo los estandartes nupciales de la luz y el decoro,
mezclándose al trueno de los tambores y de las lanzas,
también, también tus dedos,
los que la rosa abstracta y la línea del frío, los
que el pecho sangriento del nuevo cereal trasladaron
hasta la tela de materia radiante, hasta las duras cavidades,
también, también, América enterrada, guardaste en lo más
          bajo
en el amargo intestino, como un águila, el hambre?

*xi*

A través del confuso esplendor,
a través de la noche de piedra, déjame hundir la mano

y deja que en mí palpite, como un ave mil años prisionera,
el viejo corazón del olvidado!
Déjame olvidar hoy esta dicha, que es más ancha que el
   mar,
porque el hombre es más ancho que el mar y que sus islas,
y hay que caer en él como en un pozo para salir del fondo
con un ramo de agua secreta y de verdades sumergidas.
Déjame olvidar, ancha piedra, la proporción poderosa,
la trascendente medida, las piedras del panal,
y de la escuadra déjame hoy resbalar
la mano sobre la hipotenusa de áspera sangre y cilicio.
Cuando, como una herradura de élitros rojos, el cóndor
   furibundo
me golpea las sienes en el orden del vuelo
y el huracán de plumas carniceras barre el polvo sombrío
de las escalinatas diagonales, no veo a la bestia veloz,
no veo el ciego ciclo de sus garras,
veo el antiguo ser, servidor, el dormido
en los campos, veo un cuerpo, mil cuerpos, un hombre,
   mil mujeres,
bajo la racha negra, negros de lluvia y noche,
con la piedra pesada en la estatua:
Juan Cortapiedras, hijo de Wiracocha,
Juan Comefrío, hijo de estrella verde,
Juan Piesdescalzos, nieto de la turquesa,
sube a nacer conmigo, hermano.

*xii*

Sube a nacer conmigo, hermano. — los de MachuPichu

Dame la mano desde la profunda
zona de tu dolor diseminado.
No volverás del fondo de las rocas.
No volverás del tiempo subterráneo.

No volverá tu voz endurecida.
No volverán tus ojos taladrados.
Mírame desde el fondo de la tierra,
labrador, tejedor, pastor callado:
domador de guanacos tutelares:
albañil del andamio desafiado:
aguador de las lágrimas andinas:
joyero de los dedos machacados:
agricultor temblando en la semilla:
alfarero en tu greda derramado:
traed a la copa de esta nueva vida
vuestros viejos dolores enterrados.
Mostradme vuestra sangre y vuestro surco,
decidme: aquí fui castigado,
porque la joya no brilló o la tierra
no entregó a tiempo la piedra o el grano:
señaladme la piedra en que caísteis
y la madera en que os crucificaron,
encendedme los viejos pedernales,
las viejas lámparas, los látigos pegados
a través de los siglos en las llagas
y las hachas de brillo ensangrentado.
Yo vengo a hablar por vuestra boca muerta.
A través de la tierra juntad todos
los silenciosos labios derramados
y desde el fondo habladme toda esta larga noche
como si yo estuviera con vosotros anclado,
contadme todo, cadena a cadena,
eslabón a eslabón, y paso a paso,
afilad los cuchillos que guardasteis,
ponedlos en mi pecho y en mi mano,
como un río de rayos amarillos,
como un río de tigres enterrados,
y dejadme llorar, horas, días, años,
edades ciegas, siglos estelares.

Dadme el silencio, el agua, la esperanza.

Dadme la lucha, el hierro, los volcanes.

Apegadme los cuerpos como imanes.

Acudid a mis venas y a mi boca.

Hablad por mis palabras y mi sangre.

> [CGN, II: *Alturas de Macchu Picchu*]

# V

## 1946-1956

Con lentitud crece CGN *(Canto general)* durante 1946-47. La actividad del senador Reyes entraba la del poeta Neruda. Al mismo tiempo la define. La figura pública del *senador* (en la que se proyecta el *yo naciente* emerso desde Macchu Picchu y desde los socavones mineros del norte) reactúa sobre el autodiseño del yo textualizándolo representante ungido, mediador privilegiado entre los trabajadores y el poder, autorizado portavoz de los humildes [58]. Su privilegio distintivo es precisamente la voz, la capacidad y autoridad para *hablar,* para conferir verbo y potencia al silencio de sus representados. De su expedición órfica el yo ha extraído una inicial disposición al combate en el espacio América: «Hermanos de las tierras desoladas: / aquí tenéis como un montón de espadas / mi corazón dispuesto a la batalla», declara el soneto

[58] Textos sucesivos de CGN y UVT postularán en el hablante un portavoz del continente, autorizado también por la experiencia órfica. «'Alturas de Macchu Picchu' is the text that, in the larger literary context of the complete work [CGN], authenticates the poet's voice and authorizes him to speak out for the hemisphere» (De Costa 1979: 116).

«Salitre» (1946). Para el hablante la forma de su combate es por ahora la mediación. Por eso, también en 1946, los textos iniciales de «Las flores de Punitaqui» (CGN, XI) centran la autorrepresentación en la figura del *hermano Pablo*: «Hermano Pablo, no hay agua... / Hermano Pablo, tú hablarás al ministro» (ii). Esta figura no es ajena a una cierta impostación privilegiada y superior: es —por su capacidad de voz— un hermano mayor, una figura protectora y a la vez orientadora, guía, trasmisora de mensajes organizativos. Todo esto define su apóstrofe oracular al hermano: «Juan Ovalle, la mano te di... / y te dije: ... / Juan Ovalle, no mates», etc.

Al interior de CGN, el capítulo «Las flores de Punitaqui» admite ser leído como réplica o reproposición actualizada (inmediatizada) de «Alturas de Macchu Picchu» y al mismo tiempo como su prolongación (desarrollo inicial del *retorno* que «Alturas» dejó anunciado). Igual ambivalencia ascenso-descenso preside la propuesta poética del nuevo *descenso órfico*: «Después a las altas piedras / de sal y de oro, a la *enterrada* / república de los metales / *subí*» (v). Pero la linealidad final alcanzada por «Alturas» (extravío, ascenso-descenso, retorno) se dispone en «Flores» como distaxia y circularidad. El *extravío* originario y las falsas formas de la muerte son evocados centralmente en las series x («El poeta») y xi («La muerte en el mundo»). La etapa *ascenso-descenso* aparece estratificada en gradación que sube primero desde un nivel básico («campos de Ovalle») hasta el *valle de las piedras* (series i-iv), luego desde este valle *hacia los minerales,* hacia el *oro* (v-viii), y en fin desde el oro hasta la *huelga* (ix): «Fui más allá del oro: / entré en la huelga». Este es el lugar del encuentro con el *hombre* (asociado a la vida=amor, xii) y con el rostro de la *verdadera muerte* (xiii). La contemplación-indagación de las ruinas en «Alturas» viene propuesta en «Flores» como contemplación-indagación de la fábrica inactiva. La ruptura hombre/máquina —por cesación forzada, involuntaria del trabajo— implica la muerte *verdadera* del hombre (especie de suicidio en este caso) porque lo niega en su función de creador, de productor. Como Macchu Picchu, la fábrica sin hombre es «un silencio», «un hilo / cortado entre planetas, un vacío», «un montón de inútiles aceros», un espacio donde el tiempo —como sobre las piedras andinas— es sólo «aire viudo» (xiii). También aquí el texto define a la muerte verdadera por su fecundidad, por su condición germinativa. La huelga es también semilla: una muerte que desemboca en más vida [59].

Desde la huelga, el hablante establece su *retorno* a tres niveles: 1) retorno al *pasado* del pueblo humillado, silencioso y disgregado: figura *sin voz,* sin manos, sin tierra, sólo con ira y con unas pobres flores rojas que testimonian su oscura vitalidad (series ii-iv, donde el retorno se sobrepone al ascenso previo); 2) retorno al *presente* del pueblo en resistencia, unido y organizado: a través de la huelga el pueblo (el otro) conquista no sólo *voz* («eran el fuego, el *canto* indestructible») sino también *escritura* (en igualdad con el poeta): «Hay un mensaje escrito en las paredes / y el pueblo, sólo el pueblo puede verlo. / Sus letras transparentes ... / están sobre la noche como el fuego / abrasador y oculto de la aurora. / Entra, pueblo, en las márgenes del día.» (xv) [60]; 3) retorno al *futuro* del pueblo victorioso (serie xv): ya establecido en el espacio de la claridad, el otro reconquistará su *manos,* el sentido y la dignidad de su trabajo (superioridad del pueblo sobre el poeta) [61]. Si en «Alturas» la elaboración del diseño del *otro,* como ya vimos, avanza desde el mito hacia la historia, en «Flores» el movimiento es inverso: la figura del pueblo progresa desde un diseño *historizado* (pasado y presente sobre un fondo de dolor y de opresión de clases, como en la serie x de «Alturas») hacia una restitución *mítica* en las series finales del texto: el pueblo como héroe constructor de la ciudad futura (en simetría especular con las ruinas). Este movimiento restitutivo es factor y síntoma de un movimiento más amplio al interior del pro-

[59] «Cette rupture [hombre / máquina], au lieu de renvoyer à un antagonisme, exprime, dialectiquement, un lien irréductible. Le travailleur ne coupe momentanément le fil invisible qui le relie à la machine que pour le donner à voir» (Sicard 1977: 296).

[60] Adviértase la secuencia noche-letra-día.

[61] El sueño de las manos fecundas se revelará una persistente obsesión del hablante. Cfr. CGN, X, xiii, y XV, xv; MAD, 1968.

ceso estructurante de CGN: el acercamiento a la modulación *épica* del texto.

El capítulo «El fugitivo» (CGN, X), que en un primer nivel de lectura se ofrece como la crónica poética de la clandestinidad de Neruda [62], puede ser leído a su vez como réplica invertida de «Las flores de Punitaqui». La ira de Juan Ovalle es ahora patrimonio del fugitivo, directamente agredido por el poder. El protector —ahora sin capacidad de mediación— deviene protegido. La voz diurna del hermano Pablo, en peligro, aparece defendida por el silencio nocturno del hermano Pueblo. Este *diferente* contacto personal del poeta con el pueblo se textualiza en efecto como regreso transitorio a la *noche-refugio* que preservará el sueño, la escritura, el canto del poeta. En «Flores» la imagen del pueblo se resolvía finalmente en claridad. En «El fugitivo» se configura en cambio como Noche, como cadena de noches de-

---

[62] El 6-I-1948 el senador Neruda (que ya ha obtenido la legalización de su *nombre)* reafirma en el Parlamento su «Carta íntima para millones de hombres» (PNN, 287-311) con un discurso violentísimo de acusación al presidente González Videla, que ha desencadenado en Chile la caza de brujas anticomunista («Yo acuso»: PNN, 312-340). Es el tiempo de la guerra fría. El 5 de febrero los jueces ordenan el arresto del poeta, quien consigue escapar al término de una sesión del Senado y desde entonces desaparece. Durante más de un año se ignora su paradero. En vano lo rastrea la policía de González Videla. Cambiando constantemente de refugio, literalmente protegido por el pueblo, Neruda consigue ocultarse en el interior del país hasta febrero de 1949. Entonces logra atravesar los Andes a caballo por la región austral, hacia Argentina. (A esta fuga aluden UVT, I y XX, y el discurso de Estocolmo al recibir Neruda el Premio Nobel, 1971.) El 25-IV-1949 el poeta reaparece espectacularmente en París, durante el Primer Congreso Mundial por la Paz. Este año de clandestinidad, de licencia involuntaria, favorece la completación de CGN. Ayudará la ira: la traición de González Videla es vivida por Neruda como agravio personal (él había dirigido la propaganda electoral del presidente), pero al mismo tiempo la persecución hace que el poeta sienta su destino vivamente identificado con el de tantos sindicalistas, obreros y campesinos también perseguidos.

fensoras: «llegué de noche» (i), «otra vez a la noche acudí
entonces» (iii), «otra vez, otra noche fui más lejos» (v),
«así, pues, de noche en noche» (x) [63].

Este pueblo-noche aparece al fugitivo primeramente como
espacio simbólico de signo *materno* (lugar de seguridad, abri-
go, calor, ternura, nutrición: cavidad protectora), asociable
a aquel refugio que el *abandonado* de VPA buscó en la provincia de la infancia —THI, HYE, ANS— para sobrevivir [64].
Reaparecen los motivos de entonces: tierra («tierra nocturna», i), mar («mar nocturno», v), follaje, campiña, casa, otoño, viento, pobreza, soledad, amigos, madre (mujer materna), etc. Desplazamientos en la geografía mítica: el puerto de
refugio no es ya el pequeño Cantalao de antaño (Bajo Imperial o Puerto Saavedra) sino el gran Valparaíso, así como
Santiago es ahora la ciudad hostil de tierra adentro que el
hablante ignora, en lugar de Temuco. Pero el pueblo-noche
se ofrece también al fugitivo como espacio simbólico de connotación *paterna* (que la provincia de la infancia no acusaba,
o que acusaba negativamente en términos de autoridad inhi-
bidora, castradora, hostil a la emancipación y al desarrollo
del yo). La dimensión materna del pueblo-noche, asociada al
mar y a la tierra en cuanto vientres originarios, se propone
al fugitivo como cavidad de refugio y como retorno a la ma-
triz profunda del ser. La dimensión paterna, asociada al mar
y a la tierra en cuanto potencias, se instaura en cambio en el
texto como fuerza protectora y como laberinto subterráneo,
como lumbre y oscuridad al mismo tiempo en este viaje del
yo a través de sus raíces colectivas (viaje de prueba y de
conocimiento a la vez, indispensables para la legitimación de
su voz y de su combate). Si del pueblo-madre el fugitivo re-
caba ante todo refugio y preservación, en el pueblo-padre re-
conocerá especialmente la energía, el estímulo, el horizonte,

---

[63] En la nueva perspectiva del yo, sin embargo, la oscuridad
del pueblo tenderá siempre a resolverse en claridad, en luz. Es
muy probable que por esto el capítulo «El fugitivo» (X) *precede*
a «Las flores de Punitaqui» (XI) en la disposición final de CGN,
a pesar de haber sido escrito con posterioridad.

[64] «Provincia de la infancia... te propongo a mi destino como
refugio de regreso» (ANS).

el modelo, la medida del ser y del valer. En esta experiencia el pueblo-padre, arcaico y prospectivo a la vez, se revela al hablante no sólo como representación de la fuerza, de la potencia acomunada al mar, a la tierra, a la profundidad, al *abajo,* sino también como imagen de la trascendencia ordenada, sabia, justa, en vínculo con el cielo (sol, luz, aire), con alturas por conquistar, con el *arriba:* en suma, como figura portadora de una perspectiva ideal y de la capacidad para realizarla. Confluyen así a esta imagen del pueblo el principio materno y el principio paterno, la ternura y la fuerza, la oscuridad y la lumbre, lo hondo y lo alto, el mar y la tierra, la sencillez y la trascendencia, el humus originario y la ciudad futura.

«El fugitivo» cierra el ciclo de expediciones órficas del yo: es la crónica de su viaje a la semilla, de su experiencia *personal* de la verdadera muerte: 1) situación inicial de peligro (verificación de límites y precariedad del hermano Pablo); 2) la clandestinidad como descenso a la noche-cavidad-laberinto-lumbre del pueblo, como inmersión en las fuentes de la energía y del saber; 3) retorno como renacer, en identificación *madura* con el pueblo y con sus perspectivas de combate y construcción. El texto desemboca en una situación simétricamente complementaria de aquélla que cierra «Alturas de Macchu Picchu»: es ahora el pueblo, el *otro,* quien invita al hablante: «sube a nacer conmigo, hermano», y al mismo tiempo quien autoriza, legitima, hace posible esta importante autorrepresentación del yo: «soy pueblo, pueblo innumerable» [65]. El hablante, a su vez, engloba al yo y al otro en el rotundo verso final del texto: «Desde la muerte renacemos», cuyo verbo en plural no es ciertamente una casualidad. Este definitivo descenso a las honduras cierra el circuito *mitohistoria-mito,* iniciado en «Alturas de Macchu Picchu» y proseguido en «Las flores de Punitaqui», y al mismo tiempo lo abre de nuevo a otro nivel (mito-historia-mito-*épica),* posi-

---

[65] En oposición al «maldito», al traidor. Al final de «El fugitivo», la cursiva subraya un importante momento del autorretrato en curso.

bilitando así la completación de CGN dentro de la modulación ambicionada por el poeta[66].

La unidad hablante-pueblo logra textualización emblemática en el capítulo «La tierra se llama Juan» (CGN, VIII), donde el poeta cede su voz, su identidad, su yo parlante al otro,
a sus iguales. El autorretrato del hablante se anula y exalta
al mismo tiempo en la proposición de una galería de retratos
y autorretratos del otro. Desde un ángulo diverso, De Costa
1979 relaciona este procedimiento con la técnica épica del
teatro de Brecht[67].

La conquista de una articulación unitaria de los niveles
míticos (pasado, presente y futuro) en la representación del
*otro,* del pueblo, permite por fin al hablante dar una impostación épica a su imagen de la historia latinoamericana. La
nueva perspectiva incluye y organiza estos elementos:

1) Una concepción materna de la tierra americana, que
es nombrada en modo amplio tierra, espesura, América, madre (madre de los metales, por ejemplo) y también «útero
verde» y «amada de los ríos»; en modo más particularizado
viene llamada patria o toma los nombres de las grandes o
pequeñas patrias americanas: Cuba, Guatemala, Brasil, Arau-

---

[66] Desde un punto de vista genético, «El fugitivo» es, en efecto,
el verdadero embrión épico de CGN. Con razón De Costa 1979
(112) hace notar cómo los desplazamientos del fugitivo evocan
los del Cid desterrado. Analogía que abre posibilidades a una reordenación del sistema de oposiciones del texto: fidelidad / traición;
pueblo / corte; litoral / interior; puerto / capital, etc. Agreguemos
un detalle, también evocador del Cid: la imagen de «una niña pe-
queñita y pálida venida desde las minas» que recita en plena pampa un poema de combate (CGN, XII, i).

[67] «Bertolt Brecht used alienation as a device to jolt the au-
dience into a new level of consciousness. What he did for epic
theater Neruda does for epic poetry with very much the same
technique: multiple protagonists and sudden shifts in narrative voice» (De Costa 1979: 126).

co, Araucanía. El nivel más genérico de las denominaciones corresponde a la palabra *arcilla* y sobre todo a la palabra *arena* [68].

2) El árbol del pueblo [69]: principio mítico masculino, en oposición complementaria con el principio femenino de la tierra madre. Como se sabe, la imagen del árbol es un puente simbólico que pone en comunicación los tres niveles del cosmos: lo subterráneo, la superficie de la tierra y las alturas celestes. Los hijos de la tierra son raíces, son oscuros, anónimos, nadie los ve pero son ellos quienes nutren el mundo y quienes hacen crecer todo cuando crecen ellos mismos. Los héroes egregios y visibles, identificados por su nombres (Caupolicán, Lautaro, O'Higgins, San Martín, Mina, Miranda, Carrera, Balmaceda, Zapata, Sandino, Recabarren), por vías diversas y con variados matices adquieren en el texto estatuto mítico de novios, amantes o esposos de la tierra, o devienen padres o patriarcas. Todos ellos concurren a la verticalidad simbólica del árbol, a su construcción ascendente. Pero en la poesía de Neruda el árbol del pueblo no se dirige hacia ningún cielo místico sino hacia una trascendencia terrestre, hacia una utopía de creatividad y alegría sobre el planeta: es un árbol *capovolto,* un árbol que crece hacia la profundidad de nuestro mundo.

3) Los precedentes fundamentos míticos existen ya en la conciencia poética de Neruda antes de 1948, en medida considerable [70], y sin embargo CGN no logra nacer, no alcanza todavía su estructura final. El decisivo elemento que falta es iluminado por la *traición* de González Videla. Por eso «El fugitivo» es el texto desencadenante de la modulación épica de CGN. Sólo la experiencia del fugitivo clarifica definitivamente al hablante que el árbol del pueblo no crece ni construye de modo natural o mecánico sino en lucha con sus ene-

---

[68] Cfr., como tentativa precedente, la «Dura elegía» a la madre de Prestes (TER).

[69] Cfr. en particular el poema inicial del capítulo «Los libertadores» (CGN, IV).

[70] Cfr. «Dura elegía» y «Un canto para Bolívar» (TER) y los capítulos VI y VII de CGN.

migos: enemigos que al mismo tiempo son externos e internos, porque también los traidores son hijos de la madre tierra: «Sauria, escamosa América enrollada / al crecimiento vegetal, al mástil / erigido en la ciénaga: / amamantaste hijos terribles / con venenosa leche de serpiente» (CGN, V, «Los verdugos»). Era ésta la pieza que faltaba: los traidores [71]. La noción mítica de traición a la tierra deviene muy importante a lo largo de 1948 pues funda la elaboración del capítulo V de CGN, «La arena traicionada», momento decisivo en la historia genética del libro.


Este salto clarificador urge a Neruda a enfrentar y a resolver drásticamente dos problemas. Uno se refiere a la inserción épica de los conquistadores españoles, que en la tradición de los pueblos hispanoamericanos encarnan al enemigo originario, al invasor que hubo que derrotar para la recuperación de la propia identidad. Ahora bien, por incertezas del autorretrato en curso pero también por presumibles motivos de ecuanimidad histórica y de amor a España, antes de 1948 Neruda tiende a evitar en sus textos la agresividad condenatoria hacia las figuras de los conquistadores. Pero la traición de González Videla y la experiencia del fugitivo, que aclaran el esquema mítico de base y promueven la concepción del capítulo «La arena traicionada», vencen también las vacilaciones del poeta: es así que una parte de la violencia destinada a los traidores se transfiere a los conquistadores. Los textos relacionados con las figuras de Cortés, Alvarado, Balboa, Pizarro, Valverde, Valdivia, escritos en 1948-49, asumen estos personajes desde una perspectiva de agresividad que los poemas sobre Almagro, Ercilla y Magallanes no comportaban. Si no como traidores, los conquistadores españoles son ahora incorporados a la escritura de CGN como ofensores de la madre tierra.

---

[71] Antes de 1948 las figuras negativas de América no encuentran aún su puesto en el diseño mítico fundador de CGN. Así, los dictadores de «América, no invoco tu nombre en vano» (CGN, VI, ix) parecen más bien un elemento del paisaje continental.

El segundo problema que afronta Neruda se refiere a la necesidad de armonizar sus propósitos de crónica poética del pasado de América con su adhesión al enfoque marxista del desarrollo humano. Frente a ambos problemas Neruda opta por una representación poética fundada más en la tradición cultural y popular que en el rigor histórico o en la subjetividad reflexiva respecto del pasado americano. Este paso, aparentemente reductor o simplificador, permite la elaboración *funcional,* en clave épica, de un diseño mítico que finalmente consigue conjugar la más profunda intuición americanista del poeta con los niveles de accesibilidad y de eficacia combativa que el momento histórico le reclama. Así logra Neruda articular, en una perspectiva de unidad que antes le resultaba problemática, los capítulos relativos al pasado de América con los que se refieren a la situación contemporánea.

Para consolidar el fundamento mítico escribe entonces Neruda el capítulo inicial de CGN, «La lámpara en la tierra» (con excepción del fragmento introductorio, «Amor América», anterior a 1948 en varios años). Este retroceso a una América anterior al hombre abre paso, también en el período final de la composición de CGN, a la inquietante cosmogonía del captulo XIV: «El gran océano». Ahora bien, ¿por qué este capítulo resulta situado casi al final de CGN y no al comienzo, precediendo incluso a «La lámpara en la tierra»? Probablemente porque «El gran océano» no incluye sólo una dimensión cosmogónica sino también algunos poemas vinculados a la realidad contemporánea del hombre americano, al presente del libro. Pero además es posible que Neruda haya querido subrayar en el océano más una cosmogonía *personal* (por decirlo de algún modo) que una cosmogonía general o americana. Si ya en tempranos textos de Neruda, el hablante pone en relación al océano con la fundación de sí mismo [72], en realidad no es tan extraño que «El gran océano» preceda inmediatamente al capítulo «Yo soy», propuesto al cierre de CGN como sumario autobiográfico del yo y como tentativa de coronación totalizante del autorretrato.

---

[72] P. ej., en «Imperial del sur» (ANS). Cfr. Loyola 1978a: 66-69.

Como perfeccionamiento del esfuerzo totalizador inaugurado por «Alturas de Macchu Picchu», la recapitulación intentada en «Yo soy» (CGN, XV) opera también en dos direcciones simultáneas:

1) De *integración,* en el plano de la identidad del yo. Las diversas figuras mítico-biográficas que han escandido su itinerario son evocadas, con los respectivos espacios de referencia, en cuanto conformadoras de la identidad final: el niño de la Frontera, el hondero, el estudiante, el viajero, el errante testigo en Oriente, en España, en México, el asombrado indagador de América, el chileno de regreso: todas estas figuras se resuelven en el *yo soy* definitivo, que sin embargo se reconoce todavía en el antiguo yo extraviado pero jamás contaminado: «no hice más que crecer con mis raíces» (xvi) o «no compré una parcela del cielo que vendían / los sacerdotes, ni acepté tinieblas» (xxi). El nuevo yo sitúa al final del libro una orgullosa y épica representación de sí mismo, resultante no sólo de la genealogía de héroes, anónimos y egregios, que el texto ha elencado, sino también de su personal progenie interior. El «buen compañero» (xviii), el militante de «mi partido» (xvii), el soldado, el comunista en suma, son variantes de una figura épica enraizada en la historia del *otro,* en su hazaña colectiva, pero también en la propia biografía del yo. El canto general es al mismo tiempo canto personal.

2) De *ruptura,* en el plano de la obra o actividad cumplida en el pasado por el yo, antes del «regreso» (xiv). El hablante mismo subraya la distinción entre el yo y su obra: «Cómo cambié sin ser, desconociendo / mi oficio antes de ser, la metalurgia / que estaba destinada a mi dureza, / o los aserraderos olfateados / por las cabalgaduras en invierno? / Todo se hizo ternura y manantiales / y no serví sino para nocturno» (xv). Si el *hacer* (oficio, metalurgia, aserraderos) es condición del *ser,* para el hablante actual resultan tan asombrosas las antiguas metamorfosis del propio yo, incontaminado a pesar de su precariedad, como explicable el ex-

travío del «nocturno» (figura emblemática del quehacer equivocado). Para el nuevo poeta militante, es el enemigo quien mejor certifica los extravíos de su precedente operar: «El orgulloso estaba fieramente / combatiendo en su armario de marfil / y pasó la maldad en meteoro / diciendo: 'Es admirable / su solitaria rectitud. / Dejadlo.' / El impetuoso sacó su alfabeto / y montando en su espada se detuvo / a perorar en la calle desierta. / Pasó el malo y le dijo: 'Qué valiente!' / y se fue al Club a comentar la hazaña» (xvii). El rechazo de la práctica poética del nocturno, del orgulloso, del impetuoso, aparece resumida más adelante: «La sombra que indagué ya no me pertenece» (xx), y en un texto de escritura paralela: «Yo no soy Teócrito» (CGN, XII, i) [73]. La contrapartida de este exorcismo es la proposición de una nueva poética: «Por qué me pides más que a un obrero?» (xviii); «Escribo para el pueblo, aunque no pueda / leer mi poesía con sus ojos rurales. / /.../ Quiero que a la salida de fábricas y minas / esté mi poesía adherida a la tierra, / al aire, a la victoria del hombre maltratado» (xx).

La conquistada unidad de los estadios míticos del yo se proyecta a los libros sucesivos de este ciclo (1946-56) bajo tres formas básicas: 1) el «testigo de estos días» o «cronista de [esta] época» (UVT) [74]; 2) el Capitán (VCP); 3) «el hombre invisible» (OEL, NOE). Estas figuras emergen como variantes del «yo soy» de CGN.

El testigo-cronista de UVT (*Las uvas y el viento*) representa la voluntad de expansión del yo realizado, la actuación espacial de su programa. El hablante estima haber alcanzado la plenitud de su ser, y con ello, por fin, la base para emprender «la gran salida» de sí mismo. Resuelto el problema

---

[73] Proyección externa de este rechazo es el discurso de México, 1949, y la negativa a incluir poemas de RST en una antología en lengua húngara.

[74] La fórmula «cronista de su época», referida especialmente a UVT, en «Algunas reflexiones improvisadas sobre mis trabajos» (1964): OCP, III, 713.

de la propia identidad, el poeta se siente en condiciones de
proseguir y completar, a escala intercontinental, la escritura
del extenso *poema cíclico* (OCP, III, 712) soñado e inten-
tado desde los años de juventud y puesto finalmente en marcha por CGN [75]. Por eso el poeta, hablando de UVT, insiste
en su «contenido *geográfico* y *político*», en su «vastedad *geo-
gráfica*» y en la certeza de que «su expresión verbal (...)
alcanza a veces el intenso y *espacioso* tono que quiero para
mis cantos» (OCP, III, 713).

El sistema de autorrepresentación en UVT supone entonces
la impostación de un hablante básico orgulloso de sí mismo
y volcado hacia el mundo: hablante épico y cronístico a la
vez, narrativo y oracular. Autorizado por la experiencia órfica, ungido por la protección y por el reconocimiento de su
pueblo, el yo en expansión asume como tarea una misión intercontinental de representación, de aprendizaje y de revelación: «Yo, americano errante, / huérfano de los ríos y de
los / volcanes que me procrearon, / a vosotros, sencillos
europeos / de las calles torcidas, / humildes propietarios de
la paz y el aceite, / sabios tranquilos como el humo, / yo os
digo: aquí he venido / a aprender de vosotros, / de unos y
otros, de todos»; «yo soy el testigo que llega / a visitar vuestra morada» (I, ix). El hablante arriba al espacio Europa
con la investidura de un espacio América al que su propio
CGN ha agregado identidad y presencia épica en el mundo.
Llega así con títulos para establecer en su Texto un discurso
europeo en paridad, humilde y orgulloso a la vez. Américo
Vespucio al revés, este «americano de las tierras pobres» ensaya la revelación y nominación del nuevo mundo socialista
(la suya es quizá la más importante tentativa poética de con-

---

[75] «Voluntad cíclica» y voluntad de expansión expresan, aproxi-
madamente, la más profunda ambición literaria que asedió en vida
a Neruda, y explican la tendencia al autorretrato. Precisar la identidad del yo no es para el hablante el fin último de sus esfuerzos, sino la condición inicial e ineludible para su propósito de
fondo: la puesta en acción, la expansión, la *salida* del yo. Para
Neruda, fue siempre motivo de honesto asombro y de tristeza la es-
casa aceptación que la crítica ha deparado a UVT. Cfr. conf. cit.:
OCP, III, 708-714.

junto que se ha escrito hasta ahora en tal dirección) y la mostración de los fermentos de futuro que luchan por manifestarse en otros espacios de Europa y de Asia. Dentro de este
propósito la autoalusión dominante es el «yo» enfático con
verbos de testimonios: «yo vi», «yo oí», «yo divisé», «yo
anduve», «yo estuve allí».

UVT arranca desde una situación inicial de refundación
mítica del yo y al mismo tiempo de peligro. El testigo-cronista
comienza su itinerario como fugitivo obligado a abandonar la
patria mediante la superación de un riesgo, de una prueba
(atravesar la cordillera a caballo) en la que su único ayudante mítico es una encarnación individual del *otro,* del pueblo que autoriza su misión («Sólo el hombre»: I, i). En este
sentido, la estructura global de UVT evoca la de una extensa
narración medieval que relatase el peregrinaje de un exiliado
caballero errante («americano errante») por lejanos y espaciosos territorios, por ciudades prestigiosas o remotas, por
reinos a veces acogedores, a veces hostiles a nivel de poder:
reinos de vida armónica, pacífica y laboriosa, algunos, y otros
con persistencia de conflictos y contradicciones. En todos
ellos, sin embargo, el errante encuentra gentes que lo reconocen y protegen, que le entregan pan, alegría o experiencia.
En todos ellos algo o mucho aprenderá, sufrirá o celebrará
el héroe viajero, confirmando en última instancia la unidad
viva y creativa del mundo. A ratos el exiliado reposa y se
entrega al regocijo privado o a la nostalgia de la patria, a la
cual regresa por fin portando dones, noticias y renovada
energía para sus combates y trabajos locales («regresé de
mis viajes / con los nuevos racimos»).

Regresa también con amor. Porque en medio de sus desplazamientos el héroe errante ha encontrado una figura femenina paralela, también errante, que el texto nombra «pasajera de Capri», «desconocida», asignándole cabellera roja
y rasgos evocadores de la patria del viajero (XI, ii). Esta
figura misteriosa, de aparición a veces críptica (ej.: Ella =
Varsovia, en «Regresó la sirena»: III, vi), agrega estímulos
a la misión itinerante del viajero al potenciar su gloria interior. Interior, porque esta *dama* (XI, ii) del corazón del

caballero errante es una dama secreta, innominable. Su presencia en el texto es restringida, lateral, más bien subterránea. Pero intensa, al punto que el hablante no vacila en suspender los asuntos públicos y geográficos de su crónica para dedicar a Ella, a este asunto privado (y secreto) del yo, un capítulo *intermedio* (el XI) que recorta «un círculo en la estrella» (XI, i) o simplemente «un día» (título de la serie v).

VCP *(Los versos del Capitán)* es la amplificación del «círculo en la estrella». En el anchuroso e itinerante espacio público del yo en expansión, el hablante recorta una pequeña zona privada: el reducto secreto del amor: la isla clandestina. Una breve crónica íntima, celada por el anonimato [76], se desgaja de la vasta relación de la aventura manifiesta del errante. Parece una contradicción que el portavoz-combatiente se autodesigne con modestia testigo o cronista en UVT mientras el amante de Capri se proclama «vencedor entre los hombres» y se nombra Capitán en VCP. El nexo es sin embargo de complementariedad. La figura del Capitán emblematiza la verdadera plenitud final del *yo soy,* la glorificación interior del héroe, su apoteosis secreta. La clandestinidad del *amante* repropone en simetría la clandestinidad del *fugitivo* (CGN, X). El amor de la dama desconocida (en el plano privado) completa el espaldarazo del pueblo (en el plano público). En CGN el hablante ha conquistado credenciales de portavoz y de combatiente, pero en ese libro el amor no comparece, de hecho, como factor visible del proceso de integración o unificación del yo. UVT y VCP certifican la dimensión del signo ausente: sólo el amor de la dama desconocida autoriza la promoción del yo al grado de héroe cumplido, de Capitán.

Difícil exagerar el alcance de esta figura. El hablante reserva el epíteto *capitán* sólo a personajes que a sus ojos encarnan, cada uno en su terreno, niveles egregios de prestan-

---

[76] Como se sabe, la primera edición de VCP (Nápoles, 1952) es anónima.

cia, dominio y señorío: la estatura del héroe y/o del conduc-
tor de pueblos. Son *capitanes* en los textos de Neruda: Bolívar, José Miguel Carrera, Artigas, Recabarren, Sandino,
Prestes del Brasil, Stalin. La variante *húsar* acentúa rasgos
de gallardía y apostura en Bolívar y Carrera (cabe recordar
aquí al lejano *alférez* de ANS. A la figura del *capitán* Neruda suele asociar la figura del *padre,* imponente y sabio (Bolívar, Recabarren, Stalin, Artigas). Al revés, el poeta nombra
a su padre «Capitán de su tren» (MIN, I) [77].

El capitán de VCP es de todos modos una autoalusión
integradora: si por un lado proclama la secreta glorificación
o apoteosis del yo, por otro remite a su condición de militante: vale como cifra conjunta del amante y del combatiente. El Capitán aparece también como catalizador y testigo
del nuevo nacimiento de la amada (cfr. «Tú venías») y al
mismo tiempo como padre o plasmador de su propia compañera (cfr. «El monte y el río», «Las vidas», «El amor del
soldado»). Por su parte la amada del Capitán, figura privilegiada al interior de la representación del *otro,* va a incidir
poderosamente en la evolución del autorretrato del yo. Hacia
el final de VCP («La carta en el camino») su imagen se
proyecta como puente entre dos espacios, como acicate y ga-
lardón para el retorno a la patria: «Arañaré la tierra para
hacerte una cueva / y allí tu Capitán / te esperará con flores
en el lecho».


La figura del *hombre invisible,* que concentra el estatuto
del hablante en los dos primeros libros de odas elementales
(OEL y NOE), puede ser leída como perfeccionamiento de
dos figuras precedentes en las que el «yo soy» tiende a cris-
talizar: 1) el *traductor* (en el sentido de transcriptor o co-
productor) de la escritura o *letra* del pueblo (cfr. CGN, XI,
xv): el poeta que se niega a ser Teócrito y que escribe una
«Carta a Miguel Otero Silva» (CGN, XII, i) se declara lector de «cartas / que traen las aves del mar desde tan le-

---

[77] Cuando el Capitán nombra *reina* a su dama («La reina») se
propone a sí mismo, en el texto, también como padre, como pro-
genitor de estirpe. Cfr. «El hijo», «La pródiga».

jos, / cartas que vienen mojadas, mensajes que poco a poco / voy traduciendo con lentitud y seguridad: soy meticuloso / como un ingeniero en este extraño oficio»; 2) el *transparente* o el *poeta sencillo* (cfr. OEL, odas «al hombre sencillo» y «a la sencillez»): en el término *transparente* juegan por un lado el sentido recto (i.e., lo que permite ver a su través, como el cristal) y por otro el sentido figurado, en cierto modo opuesto al anterior (i.e., lo que se deja ver, o entender, o leer con facilidad): en el primer sentido transparencia equivale a invisibilidad, desaparición o anulación del yo para que en el texto se vea o hable o viva el *otro,* para dejar todo el espacio a los demás; en el segundo sentido transparencia equivale a sencillez, a simplicidad como lenguaje y como medida de valor.

Pero genéticamente, a nivel de biografía del hablante, el *hombre invisible* es hijo del Capitán, criatura del yo cumplido, completo y dichoso: la plenitud del ser y del amor desborda en propósitos generosos y en acción poética: «Vivo, / amo / y soy amado. / Recibo / en mi ser / cuanto existe. / ... / Yo soy, / yo soy el día, / soy / la luz. / Por eso / tengo / deberes de mañana, / trabajos de mediodía. / Debo / ... / ir y venir por las calles, / las casas y los hombres / destruyendo / la oscuridad...» («Oda a la claridad»). El héroe triunfante se puede permitir el anonimato como propuesta de identidad pública. Pero este anonimato es en realidad la forma límite que asume el *yo soy,* su extrema exaltación: el hombre invisible es el Capitán en traje de calle [78]. La «Oda a la sencillez» certifica —*proprio* con transparencia— su génesis de amor: «Sencillez... / no quieren aceptarme / contigo, / me miran de reojo, / se preguntan quién es / la pelirroja. / ... / Quién es ésa / que anda con el poeta?» La asimilación *sencillez-pelirroja* significa proponer un conflicto del hablante en dos planos paralelos: 1) como crítica a su poesía-sencillez (nivel público, explícito); 2) como crítica a su amor-sencillez (nivel privado, secreto, críptico).

---

[78] Ese mismo 1954 en que Neruda se proclama *hombre invisible* en su poesía (OEL), la celebración masiva de sus cincuenta años lo proclama auténtico Capitán del pueblo.

El poema «El hombre invisible», prólogo del primer libro
de las odas (OEL), cabe leerlo más como tentativa de autorretrato, como propuesta de identidad pública del Capitán (el
yo feliz, optimista y didascálico), que como *ars poetica*. En
efecto, su contenido programático sólo indirectamente logra
traducción en la práctica textual. Las odas elementales de
OEL y NOE tienden más bien a establecer —como de costumbre en Neruda, pero ahora en clave celebrativa y en disposición alfabética— el inventario del mundo personal del
hablante: sus preferencias y opiniones, sueños y convicciones,
afirmaciones y denuestos, recetas de cocina, mitos, ritos de
exhortación a la naturaleza para que esté de la parte del hombre. Desfilan en estos textos objetos, utensilios, flores, árboles, animales, alimentos, personajes, símbolos y figuras de su
mitología privada: en suma, una versión más o menos sistemática y organizada del viejo proyecto de una *poesía sin pureza,* en la que no faltan «la sagrada ley del madrigal y los
decretos del tacto, olfato, gusto, vista, oído, el deseo de justicia, el deseo sexual, el ruido del océano, sin excluir deliberadamente nada, sin aceptar deliberadamente nada, la entrada en la profundidad de las cosas en un acto de arrebatado amor» [79]. Esto no contradice la vocación extroversa del
hablante ni su voluntad de comunicar. En un primer nivel
de lectura, explícito, OEL y NOE inauguran una especie de
«enciclopedia (poética) popular» de la experiencia acumulada por el yo a lo largo de sus edades míticas personales, y al
mismo tiempo una tentativa de contagiar al *otro* la lección
de optimismo histórico y de confianza en la realidad que esa
experiencia le ha deparado. En otro nivel, secreto esta vez,
la tarea que efectivamente textualiza el hombre invisible es
la construcción y amoblaje de la casa mítica del Capitán y
de su amada pelirroja. El prólogo del segundo libro de las
odas (NOE) se intitula precisamente «La casa de las odas» [80].

---

[79] «Sobre una poesía sin pureza», 1935 (PNN, 140, con omisión
que aquí reponemos).

[80] Sobre este ciclo, cfr. referencias cit. en nota 57 y también
Melis 1970, Pring-Mill 1970, Puccini 1971, Siefer 1970, Yurkiévich 1973 y 1975.

*Descubridores de Chile* [1938] *

Del Norte trajo Almagro su arrugada
centella.
Y sobre el territorio, entre explosión y ocaso,
se inclinó día y noche como sobre una carta.
Sombra de espinas, sombra de cardo y cera,
el español reunido con su seca figura,
mirando las sombrías estrategias del suelo.
Noche, nieve y arena hacen la forma
de mi delgada patria,
todo el silencio está en su larga línea,

---

* Este texto y el siguiente («Ercilla») pertenecen al ciclo anterior. Se insertan aquí en razón de su afinidad temática con los
textos que siguen (escritos en 1948-49) y para que su lectura su-
cesiva ponga de relieve las diferencias de lenguaje y de importa-
ción entre unos y otros. Ver nuestra guía de lectura, pp. 146 y
211. (H. L.)

toda la espuma sale de su barba marina,
todo el carbón la llena de misteriosos besos.
Como una brasa el oro arde en sus dedos
y la plata ilumina como una luna verde
su endurecida forma de tétrico planeta,
El español sentado junto a la rosa un día,
junto al aceite, junto al vino, junto al antiguo cielo
no imaginó este punto de colérica piedra
nacer bajo el estiércol del águila marina.

[*CGN, III: Los conquistadores*]


*Ercilla* [1942?]


Piedras de Arauco y desatadas rosas
fluviales, territorios de raíces,
se encuentran con el hombre que ha llegado de España.
Invaden su armadura con gigantesco liquen.
Atropellan su espada las sombras del helecho.
La yedra original pone manos azules
en el recién llegado silencio del planeta.
Hombre, Ercilla sonoro, oigo el pulso del agua
de tu primer amanecer, un frenesí de pájaros
y un trueno en el follaje.
Deja, deja tu huella
de águila rubia, destroza
tu mejilla contra el maíz salvaje,
todo será en la tierra devorado.
Sonoro, sólo tú no beberás la copa
de sangre, sonoro, sólo al rápido
fulgor de ti nacido
llegará la secreta boca del tiempo en vano
para decirte: en vano.

En vano, en vano
sangre por los ramajes de cristal salpicado,
en vano por las noches del puma
el desafiante paso del soldado,
las órdenes,
los pasos
del herido.
Todo vuelve al silencio coronado de plumas
en donde un rey remoto devora enredaderas.

                                        [*CGN, III*]


*Alvarado*


Alvarado, con garras y cuchillos
cayó sobre las chozas, arrasó
el patrimonio del orfebre,
raptó la rosa nupcial de la tribu,
agredió razas, predios, religiones,
fue la caja caudal de los ladrones,
el halcón clandestino de la muerte.
Hacia el gran río verde, el Papaloapán,
río de mariposas, fue más tarde
llevando sangre en su estandarte.

El grave río vio sus hijos
morir o sobrevivir esclavos,
vio arder en las hogueras junto al agua
raza y razón, cabezas juveniles.
Pero no se agotaron los dolores
como a su paso endurecido
hacia nuevas capitanías.

                                        [*CGN, III*]

## La cabeza en el palo

Balboa, muerte y garra
llevaste a los rincones de la dulce
tierra central, y entre los perros
cazadores, el tuyo era tu alma:
leoncico de belfo sangriento
recogió al esclavo que huía,
hundió colmillos españoles
en las gargantas palpitantes,
y de las uñas de los perros
salía la carne al martirio
y la alhaja caía en la bolsa.

Malditos sean perro y hombre,
el aullido infame en la selva
original, el acechante
paso del hierro y del bandido.
Maldita sea la espinosa
corona de la zarza agreste
que no saltó como un erizo
a defender la cuna invadida.

Pero entre los capitanes
sanguinarios se alzó en la sombra
la justicia de los puñales,
la acerba rama de la envidia.

Y al regreso estaba en medio
de tu camino el apellido
de Pedrarias como una soga.

Te juzgaron entre ladridos
de perros matadores de indios.
Ahora que mueres, oyes
el silencio puro, partido

por tus lebreles azuzados?
Ahora que mueres en las manos
de los torvos adelantados,
sientes el aroma dorado
del dulce reino destruido?

Cuando cortaron la cabeza
de Balboa, quedó ensartada
en un palo. Sus ojos muertos
descompusieron su relámpago
y descendieron por la lanza
en un goterón de inmundicia
que desapareció en la tierra.

[*CGN, III*]

*Las agonías*

En Cajamarca empezó la agonía.

El joven Atahualpa, estambre azul,
árbol insigne, escuchó al viento
traer rumor de acero.
Era un confuso
brillo y temblor desde la costa,
un galope increíble
—piafar y poderío—
de hierro y hierro entre la hierba.
Llegaron los adelantados.
El Inca salió de la música
rodeado por los señores.

Las visitas
de otro planeta, sudadas y barbudas,
iban a hacer la reverencia.

El capellán
Valverde, corazón traidor, chacal podrido,
adelanta un extraño objeto, un trozo
de cesto, un fruto
tal vez de aquel planeta
de donde vienen los caballos.
Atahualpa lo toma. No conoce
de qué se trata: no brilla, no suena,
y lo deja caer sonriendo.

«Muerte,
venganza, matad, que os absuelvo»,
grita el chacal de la cruz asesina.
El trueno acude hacia los bandoleros.
Nuestra sangre en su cuna es derramada.
Los príncipes rodean como un coro
al Inca, en la hora agonizante.

Diez mil peruanos caen
bajo cruces y espadas, la sangre
moja las vestiduras de Atahualpa.
Pizarro, el cerdo cruel de Extremadura
hace amarrar los delicados brazos
del Inca. La noche ha descendido
sobre el Perú como una brasa negra.

[*CGN, III*]

*Los libertadores*

Aquí viene el árbol, el árbol
de la tormenta, el árbol del pueblo.

De la tierra suben sus héroes
como las hojas por la savia,
y el viento estrella los follajes
de muchedumbre rumorosa,
hasta que cae la semilla
del pan otra vez a la tierra.

> Aquí viene el árbol, el árbol
> nutrido por muertos desnudos,
> muertos azotados y heridos,
> muertos de rostros imposibles,
> empalados sobre una lanza,
> desmenuzados en la hoguera,
> decapitados por el hacha,
> descuartizados a caballo,
> crucificados en la iglesia.

Aquí viene el árbol, el árbol
cuyas raíces están vivas,
sacó salitre del martirio,
sus raíces comieron sangre
y extrajo lágrimas del suelo:
las elevó por sus ramajes,
las repartió en su arquitectura.
Fueron flores invisibles,
a veces, flores enterradas,
otras veces iluminaron
sus pétalos, como planetas.

> Y el hombre recogió en las ramas
> las caracolas endurecidas,
> las entregó de mano en mano
> como magnolias o granadas
> y de pronto, abrieron la tierra,
> crecieron hasta las estrellas.

Este es el árbol de los libres.
El árbol tierra, el árbol nube,
el árbol pan, el árbol flecha,
el árbol puño, el árbol fuego.
Lo ahoga el agua tormentosa
de nuestra época nocturna,
pero su mástil balancea
el ruedo de su poderío.

Otras veces, de nuevo caen
las ramas rotas por la cólera
y una ceniza amenazante
cubre su antigua majestad:
así pasó desde otros tiempos,
así salió de la agonía
hasta que una mano secreta,
unos brazos innumerables,
el pueblo, guardó los fragmentos,
escondió troncos invariables,
y sus labios eran las hojas
del inmenso árbol repartido,
diseminado en todas partes,
caminando con sus raíces.
Este es el árbol, el árbol
del pueblo, de todos los pueblos
de la libertad, de la lucha.

Asómate a su cabellera:
toca sus rayos renovados:
hunde la mano en las usinas
donde su fruto palpitante
propaga su luz cada día.
Levanta esta tierra en tus manos,
participa de este esplendor,
toma tu pan y tu manzana,

tu corazón y tu caballo
y monta guardia en la frontera,
en el límite de sus hojas.

> Defiende el fin de sus corolas,
> comparte las noches hostiles,
> vigila el ciclo de la aurora,
> respira la altura estrellada,
> sosteniendo el árbol, el árbol
> que crece en medio de la tierra.
>                                 [CGN, IV: Los libertadores]


## El empalado


Pero Caupolicán llegó al tormento.

Ensartado en la lanza del suplicio,
entró en la muerte lenta de los árboles.

Arauco replegó su ataque verde,
sintió en las sombras el escalofrío,
clavó en la tierra la cabeza,
se agazapó con sus dolores.
El Toqui dormía en la muerte.
Un ruido de hierro llegaba
del campamento, una corona
de carcajadas extranjeras,
y hacia los bosques enlutados
sólo la noche palpitaba.

No era el dolor, la mordedura
del volcán abierto en las vísceras,

era sólo un sueño del bosque,
el árbol que se desangraba.

En las entrañas de mi patria
entraba la punta asesina
hiriendo las tierras sagradas.
La sangre quemante caía
de silencio en silencio, abajo,
hacia donde está la semilla
esperando la primavera.

Más hondo caía esta sangre.

Hacia las raíces caía.

Hacia los muertos caía.

Hacia los que iban a nacer.

[*CGN, IV*]


*Lautaro*


La sangre toca un corredor de cuarzo.
Así nace Lautaro de la tierra.
La piedra crece donde cae la gota.

[*CGN, IV*]


*Educación del cacique*


Lautaro era una flecha delgada.
Elástico y azul fue nuestro padre.

Fue su primera edad sólo silencio.
Su adolescencia fue dominio.
Su juventud fue un viento dirigido.
Se preparó como una larga lanza.
Acostumbró los pies en las cascadas.
Educó la cabeza en las espinas.
Ejecutó las pruebas del guanaco.
Vivió en las madrigueras de la nieve.
Acechó la comida de las águilas.
Arañó los secretos del peñasco.
Entretuvo los pétalos del fuego.
Se amamantó de primavera fría.
Se quemó en las gargantas infernales.
Fue cazador entre las aves crueles.
Se tiñeron sus manos de victorias.
Leyó las agresiones de la noche.
Sostuvo los derrumbes del azufre.

Se hizo velocidad, luz repentina.

Tomó las lentitudes del otoño.
Trabajó en las guaridas invisibles.
Durmió en las sábanas del ventisquero.
Igualó la conducta de las flechas.
Bebió la sangre agreste en los caminos.
Arrebató el tesoro de las olas.
Se hizo amenaza como un dios sombrío.
Comió en cada cocina de su pueblo.
Aprendió el alfabeto del relámpago.
Olfateó las cenizas esparcidas.
Envolvió el corazón con pieles negras.

Descifró el espiral hilo del humo.
Se construyó de fibras taciturnas.
Se aceitó como el alma de la oliva.

Se hizo cristal de transparencia dura.
Estudió para viento huracanado.
Se combatió hasta apagar la sangre.

Sólo entonces fue digno de su pueblo.

                                                    [*CGN, IV*]


*Lautaro contra el centauro*


Atacó entonces Lautaro de ola en ola.
Disciplinó las sombras araucanas:
antes entró el cuchillo castellano
en pleno pecho de la masa roja.
Hoy estuvo sembrada la guerrilla
bajo todas las alas forestales,
de piedra en piedra y vado en vado,
mirando desde los copihues,
acechando bajo las rocas.
            Valdivia quiso regresar.
                              Fue tarde.
            Llegó Lautaro en traje de relámpago.
Siguió el conquistador acongojado.
Se abrió paso en las húmedas marañas
del crepúsculo austral.
                    Llegó Lautaro,
            en un galope negro de caballos.


La fatiga y la muerte conducían
la tropa de Valdivia en el follaje.

            Se acercaban las lanzas de Lautaro.

Entre los muertos y las hojas iba
como en un túnel Pedro de Valdivia.

En las tinieblas llegaba Lautaro.

Pensó en Extremadura pedregosa,
en el dorado aceite, en la cocina,
en el jazmín dejado en ultramar.

Reconoció el aullido de Lautaro.

Las ovejas, las duras alquerías,
los muros blancos, la tarde extremeña.

Sobrevino la noche de Lautaro.

Sus capitanes tambaleaban ebrios
de sangre, noche y lluvia hacia el regreso.

Palpitaban las flechas de Lautaro.

De tumbo en tumbo la capitanía
iba retrocediendo desangrada.

Ya se tocaba el pecho de Lautaro.

Valdivia vio venir la luz, la aurora,
tal vez la vida, el mar.

Era Lautaro.

[CGN, IV]


*José Miguel Carrera (antistrofa)*


Guarde el laurel doloroso su extrema substancia de invierno.

A su corona de espinas llevemos arena radiante,
hilos de estirpe araucana resguarden la luna mortuoria,
hojas de boldo fragante resuelvan la paz de su tumba,
nieve nutrida en las aguas inmensas y oscuras de Chile,
plantas que amó, toronjiles en tazas de greda silvestre,
ásperas plantas amadas por el amarillo centauro,
negros racimos colmados de eléctrico otoño en la tierra,
ojos sombríos que ardieron bajo sus besos terrestres.
Levante la patria sus aves, sus alas injustas, sus párpados
          rojos,
vuele hacia el húsar herido la voz del queltehue en el agua,
sangre la loica su mancha de aroma escarlata rindiendo
          tributo
a aquél cuyo vuelo extendiera la noche nupcial de la patria
y el cóndor colgado en la altura inmutable corone con
          plumas sangrientas
el pecho dormido, la hoguera que yace en las gradas de la
          cordillera,
rompa el soldado la rosa iracunda aplastada en el muro
          abrumado,
salte el paisano al caballo de negra montura y hocico de
          espuma,
vuelva al esclavo del campo su paz de raíces, su escudo
          enlutado,
levante el mecánico su pálida torre tejida de estaño noc-
          turno:
el pueblo que nace en la cuna torcida por mimbres y manos
          del héroe,
el pueblo que sube de negros adobes de minas y bocas
          sulfúricas,
el pueblo levante el martirio y la urna y envuelva el re-
          cuerdo desnudo
con su ferroviaria grandeza y su eterna balanza de piedras
          y heridas

hasta que la tierra fragante decrete copihues mojados y
        libros abiertos,
al niño invencible, a la ráfaga insigne, al tierno temible y
        acerbo soldado.
Y guarde su nombre en el duro dominio del pueblo en su
        lucha
como el nombre en la nave resiste el combate marino:
la patria en su proa lo inscriba y lo bese el relámpago
porque así fue su libre y delgada y ardiente materia.

                                          [*CGN, IV*]

*Manuel Rodríguez*

CUECA

Señora, dicen que dónde,
mi madre dicen, dijeron,
el agua y el viento dicen
que vieron al guerrillero.

        VIDA    Puede ser un obispo,
                puede y no puede,
                puede ser sólo el viento
                sobre la nieve:
                sobre la nieve, sí,
                madre, no mires,
                que viene galopando
                Manuel Rodríguez.
                Ya viene el guerrillero
                por el estero.

CUECA

PASION    Saliendo de Melipilla,
corriendo por Talagante,
cruzando por San Fernando,
amaneciendo en Pomaire.

Pasando por Rancagua,
por San Rosendo,
por Cauquenes, por Chena,
por Nacimiento:
por Nacimiento, sí,
desde Chiñigüe,
por todas partes viene
Manuel Rodríguez.
Pásale este clavel.
Vamos con él.


CUECA

Y MUERTE    Que se apaguen las guitarras,
que la patria está de duelo.
Nuestra tierra se oscurece.
Mataron al guerrillero.

En Til-Til lo mataron
los asesinos,
su espada está sangrando
sobre el camino:
sobre el camino, sí,

quién lo diría,
él, que era nuestra sangre,
nuestra alegría.

La tierra está llorando.
Vamos callando.

[*CGN, IV*]


*Las satrapías*


Trujillo, Somoza, Carías,
hasta hoy, hasta este amargo
mes de septiembre
del año 1948,
con Moriñigo (o Natalicio)
en Paraguay, hienas voraces
de nuestra historia, roedores
de las banderas conquistadas
con tanta sangre y tanto fuego,
encharcados en sus haciendas,
depredadores infernales,
sátrapas mil veces vendidos
y vendedores, azuzados
por los lobos de Nueva York.
Máquinas hambrientas de dólares,
manchadas en el sacrificio
de sus pueblos martirizados,
prostituidos mercaderes
del pan y el aire americano,
cenagales verdugos, piara
de prostibularios caciques,
sin otra ley que la tortura
y el hambre azotada del pueblo.

Doctores «honoris causa»
de Columbia University,

con la toga sobre las fauces
y sobre el cuchillo, feroces
trashumantes del Waldorf Astoria
y de las cámaras malditas
donde se pudren las edades
eternas del encarcelado.

Pequeños buitres recibidos
por Mr. Truman, recargados
de relojes, condecorados
por «Loyalty», desangradores
de patrias, sólo hay uno
peor que vosotros, sólo hay uno
y ése lo dio mi patria un día
para desdicha de mi pueblo.

                    [CGN, V.ª La arena traicionada]


Salitre [1946]


Salitre, harina de la luna llena,
cereal de la pampa calcinada,
espuma de las ásperas arenas,
jazminero de flores enterradas.

Polvo de estrella hundida en tierra oscura,
nieve de soledades abrasadas,
cuchillo de nevada empuñadura,
rosa blanca de sangre salpicada.

Junto a tu nívea luz de estalactita
duelo, viento y dolor el hombre habita:
harapo y soledad son su medalla.

Hermanos de las tierras desoladas:
aquí tenéis como un montón de espadas
mi corazón dispuesto a la batalla.

[*VJS, Viaje al norte de Chile*]


*Hermano Pablo*


Mas hoy los campesinos vienen a verme: «Hermano, no
            hay agua, hermano Pablo, no hay agua, no ha
            llovido.

        Y la escasa corriente
        del río
        siete días circula, siete días se seca.

Nuestras vacas han muerto arriba en la cordillera.

        Y la sequía empieza a matar niños.
        Arriba, muchos no tienen qué comer.
        Hermano Pablo, tú hablarás al ministro.»

(Sí, hermano Pablo hablará al ministro, pero ellos no
            saben
cómo me ven llegar
esos sillones de cuero ignominioso
y luego la madera ministerial, fregada
y pulida por la saliva aduladora.)
Mentirá el ministro, se sobará las manos,
y las ganaderías del pobre comunero,
con el burro y el perro, por las deshilachadas
rocas caerán, de hambre en hambre, hacia abajo.

[*CGN, XI: Las flores de Punitaqui*]

*El poeta*


Antes anduve por la vida, en medio
de un amor doloroso: antes retuve
una pequeña página de cuarzo
clavándome los ojos en la vida.
Compré bondad, estuve en el mercado
de la codicia, respiré las aguas
más sordas de la envidia, la inhumana
hostilidad de máscaras y seres.
Viví un mundo de ciénaga marina
en que la flor, de pronto, la azucena
me devoraba en su temblor de espuma,
y donde puse el pie resbaló mi alma
hacia las dentaduras del abismo.
Así nació mi poesía, apenas
rescatada de ortigas, empuñada
sobre la soledad como un castigo,
o apartó en el jardín de la impudicia
su más secreta flor hasta enterrarla.
Aislado así como el agua sombría
que vive en sus profundos corredores,
corrí de mano en mano, al aislamiento
de cada ser, al odio cuotidiano.
Supe que así vivían, escondiendo
la mitad de los seres, como peces
del más extraño mar, y en las fangosas
inmensidades encontré la muerte.
La muerte abriendo puertas y caminos.
La muerte deslizándose en los muros.

[*CGN, XI*]

*La huelga*

Extraña era la fábrica inactiva.
Un silencio en la planta, una distancia
entre máquina y hombre, como un hilo
cortado entre planetas, un vacío
de las manos del hombre que consumen
el tiempo construyendo, y las desnudas
estancias sin trabajo y sin sonido.
Cuando el hombre dejó las madrigueras
de la turbina, cuando desprendió
los brazos de la hoguera y decayeron
las entrañas del horno, cuando sacó los ojos
de la rueda y la luz vertiginosa
se detuvo en su círculo invisible,
de todos los poderes poderosos,
de los círculos puros de potencia,
de la energía sobrecogedora,
quedó un montón de inútiles aceros
y en las salas sin hombre, el aire viudo,
el solitario aroma del aceite.
Nada existía sin aquel fragmento
golpeando, sin Ramírez,
sin el hombre de ropa desgarrada.
Allí estaba la piel de los motores,
acumulada en muerto poderío,
como negros cetáceos en el fondo
pestilente de un mar sin oleaje,
o montañas hundidas de repente
bajo la soledad de los planetas.

                                        [*CGN, XI*]

*El pueblo*


Paseaba el pueblo sus banderas rojas
y entre ellos en la piedra que tocaron
estuve, en la jornada fragorosa
y en las altas canciones de la lucha.
Vi cómo paso a paso conquistaban.
Sólo su resistencia era camino,
y aislados eran como trozos rotos
de una estrella, sin boca y sin brillo.
Juntos en la unidad hecha silencio,
eran el fuego, el canto indestructible,
el lento paso del hombre en la tierra
hecho profundidades y batallas.
Eran la dignidad que combatía
lo que fue pisoteado, y despertaba
como un sistema, el orden de las vidas
que tocaban la puerta y se sentaban
en la sala central con sus banderas.

                                        [*CGN, XI*]


*La letra*


Así se fue. Y así será. En las sierras
calcáreas, y a la orilla
del humo, en los talleres,
hay un mensaje escrito en las paredes
y el pueblo, sólo el pueblo puede verlo.

Sus letras transparentes se formaron
con sudor y silencio. Están escritas.
Las amasaste, pueblo, en tu camino
y están sobre la noche como el fuego
abrasador y oculto de la aurora.
Entra, pueblo, en las márgenes del día.
Anda como un ejército, reunido,
y golpea la tierra con tus pasos
y con la misma identidad sonora.
Sea uniforme tu camino como
es uniforme el sudor en la batalla,
uniforme la sangre polvorienta
del pueblo fusilado en los caminos.

Sobre esta claridad irá naciendo
la granja, la ciudad, la minería,
y sobre esta unidad como la tierra
firme y germinadora se ha dispuesto
la creadora permanencia, el germen
de la nueva ciudad para las vidas.
Luz de los gremios maltratados, patria
amasada por manos metalúrgicas,
orden salido de los pescadores
como un ramo del mar, muros armados
por la albañilería desbordante,
escuelas cereales, armaduras
de fábricas amadas por el hombre.
Paz desterrada que regresas, pan
compartido, aurora, sortilegio
del amor terrenal, edificado
sobre los cuatro vientos del planeta.

                                        [*CGN, XI*]

## El fugitivo

Por la alta noche, por la vida entera,
de lágrima a papel, de ropa en ropa,
anduve en estos días abrumados.
Fui el fugitivo de la policía:
y en la hora de cristal, en la espesura
de estrellas solitarias,
crucé ciudades, bosques,
chacarerías, puertos,
de la puerta de un ser humano a otro,
de la mano de un ser a otro ser, a otro ser.
Grave es la noche, pero el hombre
ha dispuesto sus signos fraternales,
y a ciegas por caminos y por sombras
llegué a la puerta iluminada, al pequeño
punto de estrella que era mío,
al fragmento de pan que en el bosque los lobos
no habían devorado.

Una vez, a una casa, en la campiña,
llegué de noche, a nadie
antes de aquella noche había visto,
ni adivinado aquellas existencias.
Cuanto hacían, sus horas
eran nuevas en mi conocimiento.
Entré, eran cinco de familia:
todos como en la noche de un incendio
se habían levantado.
                              Estreché una
y otra mano, vi un rostro y otro rostro,
que nada me decían: eran puertas
que antes no vi en la calle,
ojos que no conocían mi rostro,

   y en la alta noche, apenas
   recibido, me tendí al cansancio,
   a dormir la congoja de mi patria.

Mientras venía el sueño,
el eco innumerable de la tierra
con sus roncos ladridos y sus hebras
de soledad, continuaba la noche,
y yo pensaba: «Dónde estoy? Quiénes
son? Por qué me guardan hoy?
Por qué ellos, que hasta hoy no me vieron,
abren sus puertas y defienden mi canto?»
Y nadie respondía
sino un rumor de noche deshojada,
un tejido de grillos construyéndose:
la noche entera apenas
parecía temblar en el follaje.
Tierra nocturna, a mi ventana
llegabas con tus labios,
para que yo durmiera dulcemente
como cayendo sobre miles de hojas,
de estación a estación, de nido a nido,
de rama en rama, hasta quedar de pronto
dormido como un muerto en tus raíces.

                          [CGN, X: El fugitivo]

*A todos, a vosotros*

A todos, a vosotros,
los silenciosos seres de la noche
que tomaron mi mano en las tinieblas, a vosotros,
lámparas

de la luz inmortal, líneas de estrella,
pan de las vidas, hermanos secretos,
a todos, a vosotros,
digo: no hay gracias,
nada podrá llenar las copas
de la pureza,
nada puede
contener todo el sol en las banderas
de la primavera invencible,
como vuestras calladas dignidades.
Solamente
pienso
que he sido tal vez digno de tanta
sencillez, de flor tan pura,
que tal vez soy vosotros, eso mismo,
esa miga de tierra, harina y canto,
ese amasijo natural que sabe
de dónde sale y dónde pertenece.
No soy una campana de tan lejos,
ni un cristal enterrado tan profundo
que tú no puedas descifrar, soy sólo
pueblo, puerta escondida, pan oscuro,
y cuando me recibes, te recibes
a ti mismo, a ese huésped
tantas veces golpeado
y tantas veces
renacido.

A todo, a todos,
a cuantos no conozco, a cuantos nunca
oyeron este nombre, a los que viven
a lo largo de nuestros largos ríos,
al pie de los volcanes, a la sombra

sulfúrica del cobre, a pescadores y labriegos,
a indios azules en la orilla
de lagos centelleantes como vidrios,
al zapatero que a esta hora interroga
clavando el cuero con antiguas manos,
a ti, al que sin saberlo me ha esperado,
yo pertenezco y reconozco y canto.

[CGN, X]


*Arena americana*


Arena americana, solemne
plantación, roja cordillera,
hijos, hermanos desgranados
por las viejas tormentas,
juntemos todo el grano vivo
antes de que vuelva a la tierra,
y que el nuevo maíz que nace
haya escuchado tus palabras
y las repita y se repitan.
Y se canten de día y de noche,
y se muerdan y se devoren,
y se propaguen por la tierra,
y se hagan, de pronto, silencio,
se hundan debajo de las piedras,
encuentren las puertas nocturnas,
y otra vez salgan a nacer,
a repartirse, a conducirse
como el pan, como la esperanza,
como el aire de los navíos.

El maíz te lleva mi canto,
salido desde las raíces
de mi pueblo, para nacer,
para construir, para cantar,
y para ser otra vez semilla
más numerosa en la tormenta.

Aquí están mis manos perdidas.
Son invisibles, pero tú
las ves a través de la noche,
a través del viento invisible.
Dame tus manos, yo las veo
sobre las ásperas arenas
de nuestra noche americana,
y escojo la tuya y la tuya,
esa mano y aquella otra mano,
la que se levanta a luchar
y la que vuelve a ser sembrada.

*No me siento solo en la noche,*
*en la oscuridad de la tierra.*
*Soy pueblo, pueblo innumerable.*
*Tengo en mi voz la fuerza pura*
*para atravesar el silencio*
*y germinar en las tinieblas.*
*Muerte, martirio, sombra, hielo,*
*cubren de pronto la semilla.*
*Y parece enterrado el pueblo.*
*Pero el maíz vuelve a la tierra.*
*Atravesaron el silencio*
*sus implacables manos rojas.*
*Desde la muerte renacemos.*

[CGN. X]

*Margarita Naranjo*
*(Salitrera «María Elena». Antofagasta)*


Estoy muerta. Soy de María Elena.
Toda mi vida la viví en la pampa.
Dimos la sangre para la Compañía
norteamericana, mis padres antes, mis
          hermanos.
Sin que hubiera huelga, sin nada nos rodearon.
Era de noche, vino todo el Ejército,
iban de casa en casa despertando a la gente,
llevándola al campo de concentración.
Yo esperaba que nosotros no fuéramos.
Mi marido ha trabajado tanto para la
          Compañía,
y para el Presidente, fue el más esforzado,
consiguiendo los votos aquí, es tan querido,
nadie tiene nada que decir de él, él lucha
por sus ideales, es puro y honrado
como pocos. Entonces vinieron a nuestra
          puerta,
mandados por el coronel Urízar,
y lo sacaron a medio vestir y a empellones
lo tiraron al camión que partió en la noche,
hacia Pisagua, hacia la oscuridad. Entonces
me pareció que no podía respirar más, me
          parecía
que la tierra faltaba debajo de los pies,
es tanta la traición, tanta la injusticia,
que me subió a la garganta algo como un
          sollozo
que no me dejó vivir. Me trajeron comida
las compañeras, y les dije: «No comeré hasta
          que vuelva.»

Al tercer día hablaron al señor Urízar,
que se rió con grandes carcajadas, enviaron
telegramas y telegramas que el tirano en
            Santiago
no contestó. Me fui durmiendo y muriendo,
sin comer, apreté los dientes para no recibir
ni siquiera la sopa o el agua. No volvió, no
            volvió,
y poco a poco me quedé muerta, y me
            enterraron:
aquí, en el cementerio de la oficina salitrera,
había en esa tarde un viento de arena,
lloraban los viejos y las mujeres y cantaban
las canciones que tantas veces canté con ellos.
Si hubiera podido, habría mirado a ver si
            estaba
Antonio, mi marido, pero no estaba, no estaba,
no lo dejaron venir ni a mi muerte: ahora,
aquí estoy muerta, en el cementerio de la
            pampa
no hay más que soledad en torno a mí, que
            ya no existo,
que ya no existiré sin él, nunca más, sin él.

                [*CGN, VIII: La tierra se llama Juan*]


*José Cruz Achachalla*
*(Minero, Bolivia)*


Sí, señor, José Cruz Achachalla,
de la Sierra de Granito, al sur de Oruro.
Pues allí debe vivir aún
mi madre Rosalía:

a unos señores trabaja,
lavándoles, pues, la ropa.
Hambre pasábamos, capitán,
y con una varilla golpeaban
a mi madre todos los días.
Por eso me hice minero.
Me escapé por las grandes sierras
una hojita de coca, señor,
unas ramas sobre la cabeza
y andar, andar, andar. Los buitres
me perseguían desde el cielo,
y pensaba: son mejores
que los señores blancos de Oruro,
y así anduve hasta el territorio
de las minas.
                    Hace ya
cuarenta años, era yo entonces
un niño hambriento. Los mineros
me recogieron. Fui aprendiz
y en las oscuras galerías,
uña por uña contra la tierra,
recogí el estaño escondido.
No sé adónde ni para qué
salen los lingotes plateados:
vivimos mal, las casas rotas,
y el hambre, otra vez, señor,
y cuando
nos reunimos, capitán,
para un peso más de salario,
el viento rojo, el palo, el fuego,
la policía nos golpeaba,
y aquí estoy, pues, capitán,
despedido de los trabajos,
dígame dónde me voy,
nadie me conoce en Oruro,

estoy viejo como las piedras,
ya no puedo cruzar los montes,
qué voy a hacer por los caminos,
aquí mismo me quedo ahora,
que me entierren en el estaño,
sólo el estaño me conoce.
José Cruz Achachalla, sí,
no sigas moviendo los pies,
hasta aquí llegaste, hasta aquí,
Achachalla, hasta aquí llegaste.

                                   [*CGN, VIII*]


## Los enemigos


Ellos aquí trajeron los fusiles repletos
de pólvora, ellos mandaron el acerbo exterminio,
ellos aquí encontraron un pueblo que cantaba,
un pueblo por deber y por amor reunido,
y la delgada niña cayó con su bandera,
y el joven sonriente rodó a su lado herido,
y el estupor del pueblo vio caer a los muertos
con furia y con dolor.
Entonces, en el sitio
donde cayeron los asesinados,
bajaron las banderas a empaparse de sangre
para alzarse de nuevo frente a los asesinos.

Por esos muertos, nuestros muertos,
pido castigo.

Para los que de sangre salpicaron la patria,
pido castigo.

Para el verdugo que mandó esta muerte,
pido castigo.

Para el traidor que ascendió sobre el crimen,
pido castigo.

Para el que dio la orden de agonía,
pido castigo.

Para los que defendieron este crimen,
pido castigo.

> No quiero que me den la mano
> empapada con nuestra sangre.
> Pido castigo.
> No los quiero de embajadores,
> tampoco en su casa tranquilos,
> los quiero ver aquí juzgados
> en esta plaza, en este sitio.

> Quiero castigo.
> [*CGN, V: La arena traicionada*]

*Carta a Miguel Otero Silva*
*(Fragmento)*

Cuando yo escribía versos de amor, que me brotaban
por todas partes, y me moría de tristeza,
errante, abandonado, royendo el alfabeto,
me decían: «Qué grande eres, oh Teócrito!»
Yo no soy Teócrito: tomé a la vida,
me puse frente a ella, la besé hasta vencerla,
y luego me fui por los callejones de las minas
a ver cómo vivían otros hombres.

Y cuando salí con las manos teñidas de basura y dolores,
las levanté mostrándolas en las cuerdas de oro,
y dije: «Yo no comparto el crimen.»
Tosieron, se disgustaron mucho, me quitaron el saludo,
me dejaron de llamar Teócrito, y terminaron
por insultarme y mandar toda la policía a encarcelarme,
porque no seguía preocupado exclusivamente de asuntos
        metafísicos.
Pero yo había conquistado la alegría.
Desde entonces me levanté leyendo las cartas
que traen las aves del mar desde tan lejos,
cartas que vienen mojadas, mensajes que poco a poco
voy traduciendo con lentitud y seguridad: soy meticuloso
como un ingeniero en este extraño oficio.

                    [*CGN, XII: Los ríos del canto*]


## El gran océano


Si de tus dones y de tus destrucciones, océano, a mis manos
pudiera destinar una medida, una fruta, un fermento,
escogería tu reposo distante, las líneas de tu acero,
tu extensión vigilada por el aire y la noche,
y la energía de tu idioma blanco
que destroza y derriba sus columnas
en su propia pureza demolida.

        No es la última ola con su salado peso
        la que tritura costas y produce
        la paz de arena que rodea el mundo:
        es el central volumen de la fuerza,
        la potencia extendida de las aguas,
        la inmóvil soledad llena de vidas.

Tiempo, tal vez, o copa acumulada
de todo movimiento, unidad pura
que no selló la muerte, verde víscera
de la totalidad abrasadora.

Del brazo sumergido que levanta una gota
no queda sino un beso de la sal. De los cuerpos
del hombre en tus orillas una húmeda fragancia
de flor mojada permanece. Tu energía
parece resbalar sin ser gastada,
parece regresar a su reposo.

La ola que desprendes,
arco de identidad, pluma estrellada,
cuando se despeñó fue sólo espuma,
y regresó a nacer sin consumirse.

Toda tu fuerza vuelve a ser origen.
Sólo entregas despojos triturados,
cáscaras que apartó tu cargamento,
lo que expulsó la acción de tu abundancia,
todo lo que dejó de ser racimo.

Tu estatua está extendida más allá de las olas.

Viviente y ordenada como el pecho y el manto
de un solo ser y sus respiraciones,
en la materia de la luz izadas,
llanuras levantadas por las olas,
forman la piel desnuda del planeta.
Llenas tu propio ser con tu substancia.

Colmas la curvatura del silencio.

Con tu sal y tu miel tiembla la copa,
la cavidad universal del agua,
y nada falta en ti como en el cráter

desollado, en el vaso cerril:
cumbres vacías, cicatrices, señales
que vigilan el aire mutilado.

Tus pétalos palpitan contra el mundo,
tiemblan tus cereales submarinos,
las suaves ovas cuelgan su amenaza,
navegan y pululan las escuelas,
y sólo sube al hilo de las redes
el relámpago muerto de la escama,
un milímetro herido en la distancia
de tus totalidades cristalinas.

[*CGN, XIV: El gran océano*]

## La frontera

Lo primero que vi fueron árboles, barrancas
decoradas con flores de salvaje hermosura,
húmedo territorio, bosques que se incendiaban
y el invierno detrás del mundo, desbordado.
Mi infancia son zapatos mojados, troncos rotos
caídos en la selva, devorados por lianas
y escarabajos, dulces días sobre la avena,
y la barba dorada de mi padre saliendo
hacia la majestad de los ferrocarriles.

Frente a mi casa el agua austral cavaba
hondas derrotas, ciénagas de arcillas enlutadas,
que en el verano eran atmósfera amarilla
por donde las carretas crujían y lloraban
embarazadas con nueve meses de trigo.
Rápido sol del Sur:

rastrojos, humaredas

en caminos de tierras escarlatas, riberas
de ríos de redondo linaje, corrales y potreros
en que reverberaba la miel del mediodía.

El mundo polvoriento entraba grado a grado
en los galpones, entre barricas y cordeles,
a bodegas cargadas con el resumen rojo
del avellano, todos los párpados del bosque.

Me pareció ascender en el tórrido traje
del verano, con las máquinas trilladoras,
por las cuestas ,en la tierra barnizada de boldos,
erguida entre los robles, indeleble,
pegándose en las ruedas como carne aplastada.

Mi infancia recorrió las estaciones: entre
los rieles, los castillos de madera reciente,
la casa sin ciudad, apenas protegida
por reses y manzanos de perfume indecible
fui yo, delgado niño cuya pálida forma
se impregnaba de bosques vacíos y bodegas.

[*CGN, XV: Yo soy*]


## La línea de madera


Yo soy un carpintero ciego, sin manos.

                                        He vivido
bajo las aguas, consumiendo frío,
sin construir las cajas fragantes, las moradas
que cedro a cedro elevan la grandeza,
pero mi canto fue buscando hilos del bosque,
secretas fibras, ceras delicadas,
y fue cortando ramas, perfumando
la soledad con labios de madera.

Amé cada materia, cada gota
de púrpura o metal, agua y espiga
y entré en espesas capas resguardadas
por espacio y arena temblorosa,
hasta cantar con boca destruida,
como un muerto, en las uvas de la tierra.

Arcilla, barro, vino me cubrieron,
enloquecí tocando las caderas
de la piel cuya flor fue sostenida
como un incendio bajo mi garganta,
y en la piedra pasearon mis sentidos
invadiendo cerradas cicatrices.

Cómo cambié sin ser, desconociendo
mi oficio antes de ser,
                              la metalurgia
que estaba destinada a mi dureza,
o los aserraderos olfateados
por las cabalgaduras en invierno?

Todo se hizo ternura y manantiales
y no serví sino para nocturno.

                                        [CGN, XV]


## La gran alegría


La sombra que indagué ya no me pertenece.
Yo tengo la alegría duradera del mástil,
la herencia de los bosques, el viento del camino
y un día decidido bajo la luz terrestre.

No escribo para que otros libros me aprisionen
ni para encarnizados aprendices de lirio,

sino para sencillos habitantes que piden
agua y luna, elementos del orden inmutable,
escuelas, pan y vino, guitarras y herramientas.

Escribo para el pueblo, aunque no pueda
leer mi poesía con sus ojos rurales.
Vendrá el instante en que una línea, el aire
que removió mi vida, llegará a sus orejas,
y entonces el labriego levantará los ojos,
el minero sonreirá rompiendo piedras,
el palanquero se limpiará la frente,
el pescador verá mejor el brillo
de un pez que palpitando le quemará las manos,
el mecánico, limpio, recién lavado, lleno
de aroma de jabón mirará mis poemas,
y ellos dirán tal vez: «Fue un camarada.»

Eso es bastante: ésa es la corona que quiero.

Quiero que a la salida de fábricas y minas
esté mi poesía adherida a la tierra,
al aire, a la victoria del hombre maltratado.
Quiero que un joven halle en la dureza
que construí, con lentitud y con metales,
como una caja, abriéndola, cara a cara, la vida,
y hundiendo el alma toque las ráfagas que hicieron
mi alegría, en la altura tempestuosa.

                                        [*CGN, XV*]


*A mi partido*


Me has dado la fraternidad hacia el que no conozco.
Me has agregado la fuerza de todos los que viven.

Me has vuelto a dar la patria como en un nacimiento.
Me has dado la libertad que no tiene el solitario.
Me enseñaste a encender la bondad, como el fuego.
Me diste la rectitud que necesita el árbol.
Me enseñaste a ver la unidad y la diferencia de los
       hombres.
Me mostrate cómo el dolor de un ser ha muerto en la
       victoria de todos.
Me enseñaste a dormir en las camas duras de mis
       hermanos.
Me hiciste construir sobre la realidad como sobre una
       roca.
Me hiciste adversario del malvado y muro del frenético.
Me has hecho ver la claridad del mundo y la posibilidad
       de la alegría.
Me has hecho indestructible porque contigo no termino
       en mí mismo.

[*CGN, XV*]

*Sólo el hombre*

Yo atravesé las hostiles
cordilleras,
entre los árboles pasé a caballo.
El humus ha dejado
en el suelo
su alfombra de mil años.

Los árboles se tocan en la altura,
en la unidad temblorosa.
Abajo, oscura es la selva.

Un vuelo corto, un grito
la atraviesan,
los pájaros del frío,
los zorros de eléctrica cola,
una gran hoja que cae,
y mi caballo pisa el blando
lecho del árbol dormido,
pero bajo la tierra
los árboles de nuevo
se entienden y se tocan.
La selva es una sola,
un solo gran puñado de perfume,
una sola raíz bajo la tierra.

Las púas me mordían,
las duras piedras herían mi caballo,
el hielo iba buscando bajo mi ropa rota
mi corazón para cantarle y dormirlo.
Los ríos que nacían
ante mi vista bajaban veloces
y querían matarme.
De pronto un árbol ocupaba el camino
como si hubiera
echado a andar y entonces
lo hubiera derribado
la selva, y allí estaba
grande como mil hombres,
lleno de cabelleras,
pululado de insectos,
podrido por la lluvia,
pero desde la muerte
quería detenerme.

Yo salté el árbol,
lo rompí con el hacha,

acaricié sus hojas hermosas como manos,
toqué las poderosas
raíces que mucho más que yo
conocían la tierra.
Yo pasé sobre el árbol,
crucé todos los ríos,
la espuma me llevaba,
las piedras me mentían,
el aire verde que creaba
alhajas a cada minuto
atacaba mi frente,
quemaba mis pestañas.
Yo atravesé las altas cordilleras
porque conmigo un hombre,
otro hombre, un hombre
iba conmigo.
No venían los árboles,
no iba conmigo el agua
vertiginosa que quiso matarme,
ni la tierra espinosa.
Sólo el hombre,
sólo el hombre estaba conmigo.
No las manos del árbol,
hermosas como rostros, ni las graves
raíces que conocen la tierra
me ayudaron.
Sólo el hombre.
No sé cómo se llama.
Era tan pobre como yo, tenía
ojos como los míos, y con ellos
descubría el camino
para que otro hombre pasara.
Y aquí estoy.
Por eso existo.

Creo
que no nos juntaremos en la altura.
Creo
que bajo la tierra nada nos espera,
pero sobre la tierra
vamos juntos.
Nuestra unidad está sobre la tierra.

[UVT, I]


## Palabras a Europa

Yo, americano de las tierras pobres,
de las metálicas mesetas,
en donde el golpe del hombre contra el hombre
se agrega al de la tierra sobre el hombre.
Yo, americano errante,
huérfano de los ríos y de los
volcanes que me procrearon,
a vosotros, sencillos europeos
de las calles torcidas,
humildes propietarios de la paz y el aceite,
sabios tranquilos como el humo,
yo os digo: aquí he venido
a aprender de vosotros,
de unos y otros, de todos,
porque de qué me serviría
la tierra, para qué se hicieron
el mar y los caminos,
sino para ir mirando y aprendiendo
de todos los seres un poco.
No me cerréis la puerta
(como las puertas negras, salpicadas de sangre
de mi materna España).

No me mostréis la guadaña enemiga
ni el escuadrón blindado,
ni las antiguas horcas para el nuevo ateniense,
en las anchas vías gastadas
por el resplandor de las uvas.
No quiero ver un soldadito muerto
con los ojos comidos.
Mostradme de una patria a otra
el infinito hilo de la vida
cosiendo el traje de la primavera.
Mostradme una máquina pura,
azul de acero bajo el grueso aceite,
lista para avanzar en los trigales.
Mostradme el rostro lleno de raíces
de Leonardo, porque ese rostro
es vuestra geografía,
y en lo alto de los montes,
tantas veces descritos y pintados,
vuestras banderas juntas
recibiendo
el viento electrizado.

Traed agua del Volga fecundo
al agua del Arno dorado.
Traed semillas blancas
de la resurrección de Polonia,
y de vuestras viñas llevad
el dulce fuego rojo
al Norte de la nieve!
Yo, americano, hijo
de las más anchas soledades del hombre,
vine a aprender la vida de vosotros
y no la muerte, y no la muerte!
Yo no crucé el océano,
ni las mortales cordilleras,

ni la pestilencia salvaje
de las prisiones paraguayas,
para venir a ver
junto a los mirtos que sólo conocía
en los libros amados,
vuestras cuencas sin ojos y vuestra sangre seca
en los caminos.

Yo a la miel antigua y al nuevo
esplendor de la vida he venido.
Yo a vuestra paz y a vuestras puertas,
a vuestras lámparas encendidas,
a vuestras bodas he venido.
A vuestras bibliotecas solemnes
desde tan lejos he venido.
A vuestras fábricas deslumbrantes
llego a trabajar un momento
y a comer entre los obreros.
En vuestras casas entro y salgo.
En Venecia, en Hungría la bella,
en Copenhague me veréis,
en Leningrado, conversando
con el joven Pushkin, en Praga
con Fucik, con todos los muertos
y todos los vivos, con todos
los metales verdes del Norte
y los claveles de Salerno.
Yo soy el testigo que llega
a visitar vuestra morada.
Ofrecedme la paz y el vino.

Mañana temprano me voy.

Me está esperando en todas partes
la primavera.

                                              [UVT, I]

*Crecen los años*


Hungría,
doble es tu rostro como una medalla.
Yo te encontré en verano
y era
tu perfil bosque y trigo:
el rápido verano
con su manto de oro
tu dulce cuerpo verde recubría.
Más tarde
te vi llena de nieve,
oh bella sonrosada
de dientes blancos y corona blanca,
estrella del invierno,
patria de la blancura!

Y así tu doble rostro de medalla
amé pasando sobre tus pupilas
mis besos bienvenidos en la aurora,
porque tú construías
el sol que iba naciendo,
tu bandera,
el paso de tu pueblo
en las estepas,
las herramientas puras
de la liberación, el acero
con que se construyeron las estrellas.

Junto a mí crece
este tiempo,
esta época
como un rápido bosque,
como planta volcánica

llena de vida y hojas,
mi época
de sangre y claridad, de noche fría
y esplendor matutino.
Nuevas ciudades crecen,
amanecen banderas,
se afirman las repúblicas,
del socialismo en marcha,
Viet Nam palpita
porque en sangre y dolores
nace una nueva vida.

Mi época
laurel y luna llena,
amor y pólvora!

Yo he visto
nacer, crecer los años,
parir la vieja tierra
robustas, nuevas cosas.
Yo pienso
en el hombre perdido
de otro tiempo
que no vio nacer nada,
que se precipitó de calle en calle,
de noche en noche fría,
subió escaleras,
se llenó de humo,
y nunca vio dónde se terminaban
los peldaños ni el humo.
Aquel hombre
fue como un hongo en la selva,
en la humedad oscura
disipó sus herencias,
no vio sobre el bosque la altura

tatuada con estrellas,
no vio bajo sus pies
entrelazarse todos
los gérmenes del bosque.
Yo siento, miro, toco
el crecimiento
de lo que sobreviene,
voy de una tierra a otra constatando,
sumando lo indeleble,
agregando los pasos,
reuniendo las sílabas
del canto del viento en la tierra.

[*UVT, XVII*]


### La pasajera de Capri


De dónde, planta o rayo,
de dónde, rayo negro o planta dura,
venías y viniste
hasta el rincón marino?

Sombra del continente más lejano
hay en tus ojos, luna abierta
en tu boca salvaje,
y tu rostro es el párpado de una fruta dormida.
El pezón satinado de una estrella es tu forma,
sangre y fuego de antiguas lanzas hay en tus labios.

De dónde recogiste
pétalos transparentes
de manantial, de dónde
trajiste la semilla

que reconozco? Y luego
el mar de Capri en ti, mar extranjero,
detrás de ti las rocas, el aceite,
la recta claridad bien construida,
pero tú, yo conozco,
yo conozco esa rosa,
yo conozco la sangre de esa rosa,
yo sé que la conozco,
yo sé de dónde viene,
y huelo el aire libre de ríos y caballos
que tu presencia trae a mi memoria.
Tu cabellera es una carta roja
llena de bruscos besos y noticias,
tu afirmación, tu investidura clara
me hablan a mediodía,
a medianoche llaman a mi puerta
como si adivinaran
adónde quieren regresar mis pasos.

Tal vez, desconocida,
la sal de Maracaibo
suena en tu voz llenándola de sueño,
o el frío viento de Valparaíso
sacudió tu razón cuando crecías.
Lo cierto es que hoy, mirándote al pasar
entre las aves de pecho rosado
de los farellones de Capri,
la llamarada de tus ojos, algo
que vi volar desde tu pecho, el aire
que rodea tu piel, la luz nocturna
que de tu corazón sin duda sale,
algo llegó a mi boca
con un sabor de flor que conocía,
algo tiñó mis labios con el licor oscuro
de las plantas silvestres de mi infancia,

y yo pensé: Esta dama,
aunque el clásico azul derrame todos
los racimos del cielo en su garganta,
aunque detrás de ella los templos
nimben con su blancura coronada
tanta hermosura,
ella no es, ella es otra,
algo crepita en ella que me llama:
toda la tierra que me dio la vida
está en esta mirada, y estas manos
sutiles
recogieron el agua en la vertiente
y estos menudos pies fueron midiendo
las volcánicas islas de mi patria.

Oh tú, desconocida, dulce y dura,
cuando ya tu paso
descendió hasta perderse,
y sólo las columnas
del templo roto y el zafiro verde
del mar que canta en mi destierro
quedaron solos, solos
conmigo y con tu sombra,
mi corazón dio un gran latido,
como si una gran piedra sostenida
en la invisible altura
cayera de repente
sobre el agua y saltaran las espumas.

Y desperté de tu presencia entonces
con el rostro regado
por tu salpicadura,
agua y aroma y sueño,
distancia y tierra y ola!

[UVT, XI]

*Tú venías*


No me has hecho sufrir
sino esperar.

Aquellas horas
enmarañadas, llenas
de serpientes,
cuando
se me caía el alma y me ahogaba,
tú venías andando,
tú venías desnuda y arañada,
tú llegabas sangrienta hasta mi lecho,
novia mía,
y entonces
toda la noche caminamos
durmiendo
y cuando despertamos
eras intacta y nueva,
como si el grave viento de los sueños
de nuevo hubiera dado
fuego a tu cabellera
y en trigo y plata hubiera sumergido
tu cuerpo hasta dejarlo deslumbrante.

Yo no sufrí, amor mío,
yo sólo te esperaba.
Tenías que cambiar de corazón
y de mirada
después de haber tocado la profunda
zona de mar que te entregó mi pecho.
Tenías que salir del agua
pura como una gota levantada
por una ola nocturna.

Novia mía, tuviste
que morir y nacer, yo te esperaba.
Yo no sufrí buscándote,
sabía que vendrías,
una nueva mujer con lo que adoro
de la que no adoraba,
con tus ojos, tus manos y tu boca
pero con otro corazón
que amaneció a mi lado
como si siempre hubiera estado allí
para seguir conmigo para siempre.

                                          [*VCP*]


*Las vidas*


Ay qué incómoda a veces
te siento
conmigo, vencedor entre los hombres!
Porque no sabes
que conmigo vencieron
miles de rostros que no puedes ver,
miles de pies y pechos que marcharon conmigo,
que no soy,
que no existo,
que sólo soy la frente de los que van conmigo,
que soy más fuerte
porque llevo en mí
no mi pequeña vida
sino todas las vidas,
y ando seguro hacia adelante
porque tengo mil ojos,
golpeo con peso de piedra

porque tengo mil manos
y mi voz se oye en las orillas
de todas las tierras
porque es la voz de todos
los que no hablaron,
de los que no cantaron
y cantan hoy con esta boca
que a ti te besa.

[VCP]


## El *amor del soldado*


En plena guerra te llevó la vida
a ser el amor del soldado.

Con tu pobre vestido de seda,
tus uñas de piedra falsa,
te tocó caminar por el fuego.

Ven acá, vagabunda,
ven a beber sobre mi pecho
rojo rocío.

No querías saber dónde andabas,
eras la compañera de baile,
no tenías partido ni patria.

Y ahora a mi lado caminando
ves que conmigo va la vida
y que detrás está la muerte.

Ya no puedes volver a bailar
con tu traje de seda en la sala.

Te vas a romper los zapatos,
pero vas a crecer en la marcha.

Tienes que andar sobre las espinas
dejando gotitas de sangre.

Bésame de nuevo, querida.

Limpia ese fusil, camarada.

[VCP]


*La noche en la isla*


Toda la noche he dormido contigo
junto al mar, en la isla.
Salvaje y dulce eras entre el placer y el sueño,
entre el fuego y el agua.

Tal vez muy tarde
nuestros sueños se unieron
en lo alto o en el fondo,
arriba como ramas que un mismo viento mueve,
abajo como rojas raíces que se tocan.

Tal vez tu sueño
se separó del mío
y por el mar oscuro
me buscaba
como antes
cuando aún no existías,
cuando sin divisarte
navegué por tu lado,
y tus ojos buscaban

lo que ahora
—pan, vino, amor y cólera—
te doy a manos llenas
porque tú eres la copa
que esperaba los dones de mi vida.

He dormido contigo
toda la noche mientras
la oscura tierra gira
con vivos y con muertos,
y al despertar de pronto
en medio de la sombra
mi brazo rodeaba tu cintura.
Ni la noche, ni el sueño
pudieron separarnos.

He dormido contigo
y al despertar tu boca
salida de tu sueño
me dio el sabor de tierra,
de agua marina, de algas,
del fondo de tu vida,
y recibí tu beso
mojado por la aurora
como si me llegara
del mar que nos rodea.

                                        [VCP]


*El hombre invisible*


Yo me río,
me sonrío

de los viejos poetas,
yo adoro toda
la poesía escrita,
todo el rocío,
luna, diamante, gota
de plata sumergida,
que fue mi antiguo hermano,
agregando a la rosa,
pero
me sonrío,
siempre dicen «yo»,
a cada paso
les sucede algo,
es siempre «yo»,
por las calles
sólo ellos andan
o la dulce que aman,
nadie más,
no pasan pescadores,
ni libreros,
no pasan albañiles,
nadie se cae
de un andamio,
nadie sufre,
nadie ama,
sólo mi pobre hermano,
el poeta,
a él le pasan
todas las cosas
y a su dulce querida,
nadie vive
sino él solo,
nadie llora de hambre
o de ira,
nadie sufre en sus versos

porque no puede
pagar el alquiler,
a nadie en poesía
echan a la calle
con camas y con sillas
y en las fábricas
tampoco pasa nada,
no pasa nada,
se hacen paraguas, copas,
armas, locomotoras,
se extraen minerales
rascando el infierno,
hay huelga,
vienen soldados,
disparan,
disparan contra el pueblo,
es decir,
contra la poesía,
y mi hermano
el poeta
estaba enamorado,
o sufría
porque sus sentimientos
son marinos,
ama los puertos
remotos, por sus nombres,
y escribe sobre océanos
que no conoce,
junto a la vida, repleta
como el maíz de granos,
él pasa sin saber
desgranarla,
él sube y baja
sin tocar la tierra,
o a veces

se siente profundísimo
y tenebroso,
él es tan grande
que no cabe en sí mismo,
se enreda y desenreda,
se declara maldito,
lleva con gran dificultad la cruz
de las tinieblas,
piensa que es diferente
a todo el mundo,
todos los días come pan
pero no ha visto nunca
un panadero
ni ha entrado a un sindicato
de panificadores,
y así mi pobre hermano
se hace oscuro,
se tuerce y se retuerce
y se halla
interesante,
interesante,
ésta es la palabra,
yo no soy superior
a mi hermano
pero sonrío,
porque voy por las calles
y sólo yo no existo,
la vida corre
como todos los ríos,
yo soy el único
invisible,
no hay misteriosas sombras,
no hay tinieblas,
todo el mundo me habla,
me quieren contar cosas,

me hablan de sus parientes,
de sus miserias
y de sus alegrías,
todos pasan y todos
me dicen algo,
y cuántas cosas hacen!
cortan maderas,
suben hilos eléctricos,
amasan hasta tarde en la noche
el pan de cada día,
con una lanza de hierro
perforan las entrañas
de la tierra
y convierten el hierro
en cerraduras,
suben al cielo y llevan
cartas, sollozos, besos,
en cada puerta
hay alguien,
nace alguno,
o me espera la que amo,
y yo paso y las cosas
me piden que las cante,
yo no tengo tiempo,
debo pensar en todo,
debo volver a casa,
pasar el Partido,
qué puedo hacer,
todo me pide
que hable,
todo me pide
que cante y cante siempre,
todo está lleno
de sueños y sonidos,
la vida es una caja

llena de cantos, se abre
y vuela y viene
una bandada
de pájaros
que quieren contarme algo
descansando en mis hombros,
la vida es una lucha
como un río que avanza
y los hombres
quieren decirme,
decirte,
por qué luchan,
si mueren,
por qué mueren,
y yo paso y no tengo
tiempo para tantas vidas,
yo quiero
que todos vivan
en mi vida
y canten en mi canto,
yo no tengo importancia,
no tengo tiempo
para mis asuntos,
de noche y de día
debo anotar lo que pasa,
y no olvidar a nadie.
Es verdad que de pronto
me fatigo
y miro las estrellas,
me tiendo en el pasto, pasa
un insecto color de violín,
pongo el brazo
sobre un pequeño seno
o bajo la cintura
de la dulce que amo,

y miro el terciopelo
duro
de la noche que tiembla
con sus constelaciones congeladas,
entonces
siento subir a mi alma
la ola de los misterios,
la infancia,
el llanto en los rincones,
la adolescencia triste,
y me da sueño,
y duermo
como un manzano,
me quedo dormido
de inmediato
con las estrellas o sin las estrellas,
con mi amor o sin ella,
y cuando me levanto
se fue la noche,
la calle ha despertado antes que yo,
a su trabajo
van las muchachas pobres,
los pescadores vuelven
del océano,
los mineros
van con zapatos nuevos
entrando en la mina,
todo vive,
todos pasan,
andan apresurados,
y yo tengo apenas tiempo
para vestirme,
yo tengo que correr:
ninguno puede
pasar sin que yo sepa

adónde va, qué cosa
le ha sucedido.
No puedo
sin la vida vivir,
sin el hombre ser hombre
y corro y veo y oigo
y canto,
las estrellas no tienen
nada que ver conmigo,
la soledad no tiene
flor ni fruto.
Dadme para mi vida
todas las vidas,
dadme todo el dolor
de todo el mundo,
yo voy a transformarlo
en esperanza.
Dadme
todas las alegrías,
aun las más secretas,
porque si así no fuera,
cómo van a saberse?
Yo tengo que contarlas,
dadme
las luchas
de cada día
porque ellas son mi canto,
y así andaremos juntos,
codo a codo,
todos los hombres,
mi canto los reúne:
el canto del hombre invisible
que canta con todos los hombres.

[OEL]

*Oda a la cebolla*


Cebolla,
luminosa redoma,
pétalo a pétalo
se formó tu hermosura,
escamas de cristal te acrecentaron
y en el secreto de la tierra oscura
se redondeó tu vientre de rocío.
Bajo la tierra
fue el milagro
y cuando apareció
tu torpe tallo verde,
y nacieron
tus hojas como espadas en el huerto,
la tierra acumuló su poderío
mostrando tu desnuda transparencia,
y como en Afrodita el mar remoto
duplicó la magnolia
levantando sus senos,
la tierra
así te hizo,
cebolla,
clara como un planeta,
y destinada
a relucir,
constelación constante,
redonda rosa de agua,
sobre
la mesa
de las pobres gentes.

Generosa
deshaces

tu globo de frescura
en la consumación
ferviente de la olla,
y el jirón de cristal
al calor encendido del aceite
se transforma en rizada pluma de oro.

También recordaré cómo fecunda
tu influencia el amor de la ensalada
y parece que el cielo contribuye
dándote fina forma de granizo
a celebrar tu claridad picada
sobre los hemisferios de un tomate.
Pero al alcance
de las manos del pueblo,
regada con aceite,
espolvoreada
con un poco de sal,
matas el hambre
del jornalero en el duro camino.
Estrella de los pobres,
hada madrina
envuelta
en delicado
papel, sales del suelo,
eterna, intacta, pura
como semilla de astro,
y al cortarte
el cuchillo en la cocina
sube la única lágrima
sin pena.
Nos hiciste llorar sin afligirnos.
Yo cuanto existe celebré, cebolla,
pero para mí eres
más hermosa que un ave

de plumas cegadoras,
eres para mis ojos
globo celeste, copa de platino,
baile inmóvil
de anémona nevada

y vive la fragancia de la tierra
en tu naturaleza cristalina.

                                    [*OEL*]


*Oda a la claridad*


La tempestad dejó
sobre la hierba
hilos de pino, agujas,
y el sol en la cola del viento.
Un azul dirigido
llena el mundo.

Oh día pleno,
oh fruto
del espacio,
mi cuerpo es una copa
en que la luz y el aire
caen como cascadas.
Toco
el agua marina.
Sabor
de fuego verde,
de beso ancho y amargo
tienen las nuevas olas

de este día.
Tejen su trama de oro
las cigarras
en la altura sonora.
La boca de la vida
besa mi boca.
Vivo,
amo
y soy amado.
Recibo
en mi ser cuanto existe.
Estoy sentado
en una piedra:
en ella
tocan
las aguas y las sílabas
de la selva,
la claridad sombría
del manantial que llega
a visitarme.
Toco
el tronco de cedro
cuyas arrugas me hablan
del tiempo y de la tierra.
Marcho
y voy con los ríos
cantando
con los ríos,
ancho, fresco y aéreo
en este nuevo día,
y lo recibo,
siento
cómo
entra en mi pecho, mira con mis ojos.

Yo soy,
yo soy el día,
soy
la luz.
Por eso
tengo
deberes de mañana,
trabajos de mediodía.
Debo
andar
con el viento y el agua,
abrir ventanas,
echar abajo puertas,
romper muros,
iluminar rincones.

No puedo
quedarme sentado.
Hasta luego.
Mañana
nos veremos.
Hoy tengo muchas
batallas que vencer.
Hoy tengo muchas sombras
que herir y terminar.
Hoy no puedo
estar contigo, debo
cumplir mi obligación
de luz:
ir y venir por las calles,
las casas y los hombres
destruyendo
la oscuridad. Yo debo
repartirme
hasta que todo sea día,

hasta que todo sea claridad
y alegría en la tierra.

[OEL]


*Oda al hombre sencillo*


Voy a contarte en secreto
quién soy yo,
así, en voz alta,
me dirás quién eres,
quiero saber quién eres,
cuánto ganas,
en qué taller trabajas,
en qué mina,
en qué farmacia,
tengo una obligación terrible
y es saberlo,
saberlo todo,
día y noche saber
cómo te llamas,
ése es mi oficio,
conocer una vida
no es bastante
ni conocer todas las vidas
es necesario,
verás,
hay que desentrañar,
rascar a fondo
y como en una tela
las líneas ocultaron,
con el color, la trama
del tejido,

yo borro los colores
y busco hasta encontrar
el tejido profundo,
así también encuentro
la unidad de los hombres,
y en el pan
busco
más allá de la forma:
me gusta el pan, lo muerdo,
y entonces
veo el trigo,
los trigales tempranos,
la verde forma de la primavera,
las raíces, el agua,
por eso
más allá del pan,
veo la tierra,
la unidad de la tierra,
el agua,
el hombre,
y así todo lo pruebo
buscándote
en todo,
ando, nado, navego
hasta encontrarte,
y entonces te pregunto
cómo te llamas,
calle y número,
para que tú recibas
mis cartas,
para que yo te diga
quién soy y cuánto gano,
dónde vivo,
y cómo era mi padre.
Ves tú qué simple soy,

qué simple eres,
no se trata
de nada complicado,
yo trabajo contigo,
tú vives, vas y vienes
de un lado a otro,
es muy sencillo:
eres la vida,
eres tan transparente
como el agua,
y así soy yo,
mi obligación es ésa:
ser transparente,
cada día
me educo,
cada día me peino
pensando cómo piensas,
y ando
como tú andas,
como, como tú comes,
tengo en mis brazos a mi amor
como a tu novia tú,
y entonces
cuando esto está probado,
cuando somos iguales
escribo,
escribo con tu vida y con la mía,
con tu amor y los míos,
con todos tus dolores
y entonces
ya somos diferentes
porque, mi mano en tu hombro,
como viejos amigos
te digo en las orejas:
no sufras,

ya llega el día,
ven,
ven conmigo,
ven
con todos
los que a ti se parecen,
los más sencillos,
ven,
no sufras,
ven conmigo,
porque aunque no lo sepas,
eso yo sí lo sé:
yo sé hacia dónde vamos,
y es ésta la palabra:
no sufras
porque ganaremos,
ganaremos nosotros,
los más sencillos,
ganaremos,
aunque tú no lo creas,
ganaremos.

[OEL]


## Oda al tiempo

Dentro de ti tu edad
creciendo,
dentro de mí mi edad
andando.
El tiempo es decidido,
no suena su campana,
se acrecienta, camina,

por dentro de nosotros,
aparece
como un agua profunda
en la mirada
y junto a las castañas
quemadas de tus ojos
una brizna, la huella
de un minúsculo río,
una estrellita seca
ascendiendo a tu boca.
Sube el tiempo
sus hilos
a tu pelo,
pero en mi corazón
como una madreselva
es tu fragancia,
viviente como el fuego.
Es bello
como lo que vivimos
envejecer viviendo.
Cada día
fue piedra transparente,
cada noche
para nosotros fue una rosa negra,
y este surco en tu rostro o en el mío
son piedra o flor,
recuerdo de un relámpago.
Mis ojos se han gastado en tu hermosura,
pero tú eres mis ojos.
Yo fatigué tal vez bajo mis besos
tu pecho duplicado,
pero todos han visto en mi alegría
tu resplandor secreto.
Amor, qué importa
que el tiempo,

el mismo que elevó como dos llamas
o espigas paralelas
mi cuerpo y tu dulzura,
mañana los mantenga
o los desgrane
y con sus mismos dedos invisibles
borre la identidad que nos separa
dándonos la victoria
de un solo ser final bajo la tierra.

[*OEL*]


*Oda a la cordillera andina*


De nuevo desde arriba,
desde el cielo
volando,
apareciste, cordillera
blanca y oscura de la patria mía.
Antes el gran avión
cruzó los grandes mares,
las selvas, los desiertos.
Todo fue simetría,
todo sobre la tierra
preparado,
todo desde la altura
era camino
hasta que en medio
de la tierra y del cielo
se interpuso
tu nieve planetaria
congelando las torres de la tierra.
Volcanes, cicatrices,

socavones,
nieves ferruginosas,
titánicas alturas
desolladas,
cabezas de los montes,
pies del cielo,
abismos del abismo,
cuchilladas
que cortaron
la cáscara terrestre
y el sol
a siete mil
metros de altura,
duros como un diamante
sobre
las venas, los ramales
de la sombra y la nieve
sobre la enfurecida
tormenta de los mundos
que se detuvo hirviendo
y en el silencio
colosal
impuso
sus mares de granito.
Patria, puso la tierra
en tus manos delgadas
su más duro estandarte,
la cordillera andina,
hierro nevado, soledades puras,
piedra y escalofrío,
y en tu costado
como flor infinita el mar te ofrece
su derramada espuma.
Oh mar, oh nieve,
oh cielo

de mi pequeña patria,
al hombre, al compatriota,
al camarada
darás,
darás un día
el pan de tu grandeza,
lo unirás al destino
de la nieve,
al esplendor sagrado
del mar y su energía.

Dura morada,
un día
te abrirás
entregando
la secreta
fecundidad,
el rayo de tus dones,
y entonces
mi pequeño
compatriota,
malherido en su reino,
desdichado
en su propia fortaleza,
harapiento en su ámbito de oro,
recibirá
el tesoro
conquistándolo,
defendiendo la nieve de su estrella,
multiplicando el mar y sus racimos,
extendiendo el silencio de los frutos.
Cordillera, colegio
de piedra,
en esta hora
tu magnitud

celebro,
tu dureza,
el candelabro frío
de tus altas
soledades de nieve,
la noche,
estuario inmóvil,
navegando
sobre
las piedras de tu sueño,
el día
transparente
en tu cabeza
y en ella, en la nevada
cabellera
del mundo,
el cóndor
levantando
sus alas
poderosas,
su vuelo
digno
de las acérrimas alturas.

[NOE]


*Oda a las flores de la costa*


Han abierto las flores
silvestres de Isla Negra,
no tienen nombre, algunas
parecen azahares de la arena,
otras

enciden
en el suelo un relámpago amarillo.

Soy pastoral poeta.
Me alimento
como los cazadores,
hago fuego
junto al mar, en la noche.

Sólo esta flor, sólo estas
soledades marinas
y tú, alegre,
y simple como rosa de la tierra.

La vida
me pidió que combatiera
y organicé mi corazón luchando
y levantando la esperanza:
hermano
del hombre soy, de todos.
Deber y amor se llaman
mis dos manos.

Mirando
entre las piedras
de la costa
las flores que esperaron
a través del olvido
y del invierno
para elevar un rayo diminuto
de luz y de fragancia,
al despedirme
una vez más
del fuego,
de la leña,

del bosque,
de la arena,
me duele dar un paso,
aquí
me quedaría,
no en las calles.
Soy pastoral poeta.

Pero deber y amor son mis dos manos.

[NOE]

Índice

III.  1926-1935